Peter Rowan
Wer schiebt den Kaugummi
durch meinen Magen?

Peter Rowan ist englischen Kindern durch seine zahlreichen Radio- und Fernsehsendungen bestens bekannt. Er arbeitet als medizinischer Berater des Guinness-Buch der Rekorde und schreibt für die Kinderseite der Zeitung „Times". Er hat bereits einige Kinderbücher geschrieben, die mit Preisen ausgezeichnet wurden.
Peter Rowan hat an mehreren abenteuerlichen Expeditionen in verschiedene Gebiete der Erde teilgenommen. Auf den beiden Reisen in die Antarktis war er Schiffsarzt auf dem Forschungsschiff „Discovery".
Wenn er nicht gerade unterwegs ist, lebt Peter Rowan mit seiner Frau und seinen drei Kindern, Sarah, Edward und Joanna, in der Stadt Norfolk in England. Dort arbeitet er als praktischer Arzt.

Peter Rowan

Wer schiebt den Kaugummi durch meinen Magen?

Kuriose Fragen zu allem,
was im Körper passiert

Ravensburger Buchverlag

Deutsche Erstausgabe
als Ravensburger Taschenbuch Band 1929
erschienen 1995

Die Originalausgabe erschien 1993
bei Knight Books, Hodder & Stoughton, London/England
unter dem Titel „Pinch Your Nose and Try To Hum“

Aus dem Englischen von Herbert Aichinger

Umschlag und Innenillustrationen: Ali Dieler

Gesamtherstellung: Ebner Ulm
Printed in Germany

5 4 3 2 1 95 96 97 98 99

ISBN 3-473-51929-4

Inhalt

1
Fragen und Anworten
zum Körper im allgemeinen
Seite 7

2
Fragen und Anworten zu Gefühlen
Seite 19

3
Fragen und Antworten
zu Gehirn, Nerven und den fünf Sinnen
Seite 29

4
Fragen und Antworten
zu Muskeln, Knochen, Gelenken und Sehnen
Seite 45

5
Fragen und Antworten
zu Magen und Darm
Seite 65

6
Fragen und Antworten
zur Haut
Seite 77

7
Fragen und Antworten
zu Lunge und Atmung
Seite 87

8
Fragen und Antworten
zu Herz, Blut und Kreislauf
Seite 93

9
Fragen und Antworten
zu allerlei interessanten Dingen
Seite 101

1

Fragen und Antworten zum Körper im allgemeinen

Lieber Dr. Pete,
ich habe gerade über den buckligen Glöckner von Notre-Dame gelesen. Haben Sie eine Ahnung, was dem armen Mann fehlte?

Quasimodo, der Bucklige von Notre-Dame, ist eine Figur, die sich der französische Schriftsteller Victor Hugo ausgedacht hat. Die Darstellung des Glöckners gibt allerdings einige deutliche Hinweise über das von Hugo beschriebene Krankheitsbild.

„... ein Hufeisen-Mund, ein winziges linkes Auge, das von einer buschigen roten Augenbraue verdeckt wurde, während das rechte Auge vollständig unter einer Wucherung (einer Zyste oder Warze) verschwunden war, diese ungleichmäßigen Zähne, gezackt wie Burgzinnen, die hornartigen Lippen, über die ein Zahn hervorstand wie der Stoßzahn eines Elefanten ..."

Der Körper wurde beschrieben als „dieser große Kopf, der zwischen den beiden Schultern mit dem riesigen Buckel hervorwuchs ..., die Schenkel und Beine waren derart verdreht, daß sie nur an den Knien zusammenkamen; sie sahen von vorne aus wie zwei Sichelblätter, die gemeinsam an einem Griff befestigt waren".

Als Victor Hugo im Jahre 1828 begann, das Buch zu schreiben, war er 29 und lebte in Paris. Es ist sehr wahrscheinlich, daß er jemanden kannte, der unter der Krankheit litt, die als „Von Recklinghausens Neurofibromatose" bekannt ist. Dieses Krankheitsbild ist wegen

des sogenannten „Elefantenmenschen“ John Merrick, der im späten 19. Jahrhundert in London lebte, überaus bekannt.
Es handelt sich dabei um eine sehr seltene Abnormität, die in ihrer schwerwiegendsten Form zu starken Verunstaltungen sowohl im Knochenbau als auch in „weichem Gewebe“ wie der Haut führt. All das entspricht dem, was Victor Hugo bei Quasimodo beschrieben hat. Dazu kommen oft noch Nervenschwellungen, die Taubheit verursachen können – auch wenn der Schriftsteller sagt, dies wäre die Folge des Lebens in der Kathedrale nahe dem Glockenlärm. Leute mit diesem Krankheitsbild sind trotz ihres schrecklichen Äußeren oft stark, behende und verfügen über einen scharfen Verstand. Genauso verhielt es sich mit Quasimodo im Buch und mit dem Elefantenmenschen im wirklichen Leben.
Hugo muß in Paris jemanden mit dieser Krankheit gesehen haben. Selbst ein großer Schriftsteller wie er hätte sich nicht zufällig eine derart genaue Beschreibung eines medizinischen Krankheitsbildes ausdenken können. Wer dieses bedauernswerte Geschöpf war, werden wir nie erfahren.

Lieber Dr. Pete,
konnten Leute, die geköpft wurden, noch in dem Augenblick „sehen", als ihr Kopf in den Korb fiel?

Sicher weiß das wohl niemand. Wenn jemand der Kopf abgeschlagen wird, kann er hinterher natürlich nicht mehr darüber berichten! Ich halte es aber für äußerst unwahrscheinlich, daß nach dem Durchtrennen der Blutgefäße und der Wirbelsäule noch irgendwelche bedeutsamen Nachrichten zwischen den Augen und dem Gehirn ausgetauscht werden können. Der Teil der Hirnrinde, der Gesehenes verarbeitet, liegt im hinteren Bereich des Schädels. Der Hinterkopf ist der Teil, mit dem du aufschlagen würdest, wenn du rückwärts umfielst.
Wenn ich dir etwas über das Sterben erzähle, kannst du dir selbst eine Meinung darüber bilden, wie lange das Gehirn nach dem Tod weiterarbeitet.
In der Herzinfarkt-Abteilung eines großen Krankenhauses, in dem ich praktizierte, waren alle Patienten an elektronische Überwachungsgeräte angeschlossen. Dies gab uns zu jeder Zeit Aufschluß über den Zustand ihrer Herzen. Wir haben oft beobachtet, wie die Anzeige plötzlich stoppte, weil das Herz wegen eines Herzanfalls nicht mehr schlug. Der betreffende Patient verlor beinahe sofort das Bewußtsein. Diese Beobachtung würde die Theorie stützen, daß eine Person, der man den Kopf und somit die Blutversorgung mit einer Axt oder Guillotine abtrennt, sofort bewußtlos wird und nicht leiden muß.
Eine andere Geschichte passierte, als ich als junger Arzt im alten Addenbrookes Hospital in Cambridge arbei-

tete. Während der sonntäglichen Besuchszeit spielte meist die Heilsarmee auf dem Parkplatz vor der Krankenstation. Eines Sonntagnachmittags hörte während der Besuchszeit plötzlich das Herz eines Mannes zu schlagen auf. Wir setzten das Herz des Mannes wieder in Gang, und er erholte sich schnell wieder.
Später fragte ich den Patienten, was er von dem Ereignis ins Gedächtnis zurückrufen konnte. Er hatte keinen Schmerz verspürt und war nicht in der Lage, sich an den Moment zu erinnern, in dem sein Herz stehengeblieben war. Er konnte sich aber entsinnen, wie er das Bewußtsein wiedererlangte, als sein Herz wieder zu schlagen anfing. Zuerst glaubte er, tot im Himmel zu sein. Das erste, was er hörte, noch bevor er sehen konnte, waren die von der Heilsarmee gespielten Kirchenlieder!

Lieber Dr. Pete,
stimmt es, daß man sein Leben blitzartig vor seinen Augen vorbeiziehen sieht, wenn man stirbt?

Die Arbeitsweise des menschlichen Gehirns ist noch immer geheimnisumwittert. Daß man sein Leben wie im Film vorbeiziehen sieht, kommt mit Sicherheit nicht in Fällen eines plötzlichen Todes vor, möglicherweise jedoch unter Umständen, in denen der Tod langsam durch Ersticken, wie beim Ertrinken oder Hängen, eintritt.
Eine Theorie besagt folgendes: Wenn das Gehirn nicht genug Sauerstoff bekommt – wie es beim Ertrinken der Fall ist –, dreht das Gedächtnis völlig durch und schleudert eine wirre Folge von Bildern aus der Vergangenheit hinaus. Warum das Gedächtnis so besonders empfindlich gegen Sauerstoffmangel ist und wo es überhaupt genau liegt, ist unsicher. Andere Teile des Gehirns hingegen – z.B. die Hirnrinde – bleiben lange genug „bei Bewußtsein", um diese plötzliche Informationsflut aus der Vergangenheit würdigen zu können.
Es gibt keinen Zweifel, daß es dieses Phänomen tatsächlich gibt, da viele Menschen, die im letzten Moment vor dem Tod gerettet wurden, schilderten, daß ihr Leben rückwärts mit großer Geschwindigkeit und sehr deutlich vor ihrem geistigen Auge vorübergezogen war.

Lieber Dr. Pete,
ist es wahr, daß man durch das Rauchen einer Zigarette, durch einen künstlichen Rülpser oder einen Zungenkuß 5 Sekunden seines Lebens verliert?

Die einzige dieser Freizeitbeschäftigungen, die dein Leben verkürzt, ist das Rauchen von Zigaretten. Untersuchungen über das Lebensalter von Rauchern und die Anzahl der gerauchten Zigaretten haben gezeigt, daß 35jährige Männer, die am Tag 20 Zigaretten rauchen, mit 25%iger Wahrscheinlichkeit vor Vollendung des 65. Lebensjahres sterben.
Ich bin nicht besonders gut in Mathe, aber wenn diese Männer als 15jährige mit dem Rauchen begonnen haben und mit 60 Jahren starben, ergibt das eine Zahl von 328 000 gerauchten Zigaretten. Angenommen, sie hätten ohne Rauchen ein normales Lebensalter erreicht, bedeutet dies, daß die 328 000 Zigaretten ihr Leben um 15 Jahre verkürzt haben. Teilt man nun die Zahl der Zigaretten durch die 15 verlorenen Lebensjahre, so kommt man auf 24 Minuten. Für diese Männer kostet also jede Zigarette 24 Minuten ihres Lebens.
Es ist komplizierter, eine für alle Raucher zutreffende Durchschnittszahl zu errechnen, weil sie von vielen Faktoren abhängt, z. B. von der genauen Zahl der gerauchten Zigaretten und vom Glück! Trotzdem würde ich die Zahl wesentlich höher ansetzen als 5 Sekunden. Es ist sicherer, beim Rülpsen und beim Zungenkuß zu bleiben!

Lieber Dr. Pete,
ich arbeite in einem Fitneßcenter und habe festgestellt, daß man seinen Arm nach der folgenden Methode verkürzen kann: Stehe still und strecke dann einen Arm seitlich aus, bis die Finger gerade eine Wand berühren. Dein Arm sollte horizontal sein. Winkle deinen Arm schnell 20mal am Ellbogen ab und strecke ihn wieder aus. Die Fingerspitzen sind jetzt einige Zentimeter von der Wand entfernt! Wie kommt das?

Ich habe es ausprobiert, und es sieht tatsächlich so aus, als ob man seinen Arm kürzer machen könnte. Was da passiert, ist sehr interessant und hängt vom großen Bewegungsspielraum an der Schulter ab. Das Schultergelenk ist das beweglichste des menschlichen Körpers. Wenn du deinen Arm zum ersten Mal zur Wand hin ausstreckst, wird nicht nur er gehoben, sondern es finden auch komplizierte Vorgänge am Schlüsselbein *(Clavicula)* und hinten am Schulterblatt *(Scapula)* statt. Diese haben ihren Anteil an den Schulterbewegungen und ermöglichen eine wesentlich größere „Reichweite" des Arms, als wenn Bewegungen nur am Schultergelenk selbst möglich wären.
Zwei der Muskeln, die dem Schultergelenk Kraft und Stabilität verleihen, sind der Trizeps und der Bizeps. Dies sind die Muskeln, die du einsetzt, wenn du die 20 Bewegungen am Ellbogen vollführst. Diese Übung spannt zum einen die Muskeln an, hat zum anderen aber auch Auswirkungen auf die Schulter. Wenn du deinen Arm das nächste Mal ausstreckst, um die Wand zu

berühren, haben die Muskeln die Lage der Knochen verändert, aus denen sich das Schultergelenk zusammensetzt. Insbesondere das Schulterblatt hat sich im Rücken weiter nach „hinten“ verlagert. In dieser Haltung erscheint der Arm kürzer, weil die „Reichweite“ an der Schulter geringer ist.

Lieber Dr. Pete,
ist die Körpertemperatur überall gleich?

Die Antwort lautet: nein. Die „normale“ Temperatur des menschlichen Körpers, wie sie im Mund gemessen wird, schwankt zwischen ungefähr 36 und 37,2 Grad Celsius. Auf Quecksilber-Fieberthermometern, wie sie Eltern (und Ärzte) noch verwenden, befindet sich oft ein Pfeil bei 37 °C, der das Mittel dieses Bereichs markiert. Die normale Körpertemperatur variiert also ziemlich stark. Am Morgen ist sie niedriger als am Abend. Am niedrigsten ist sie in den frühen Morgenstunden, wenn du schläfst.

Die Hausziege hat übrigens die höchste normale Körpertemperatur von allen Säugetieren – ungefähr 39,9 °C. Das Meßergebnis variiert auch, je nachdem, wo das Thermometer steckt. Man kann unter der Zunge messen. Aber wenn Ärzte bei kleinen Babys oder älteren Kindern, die das Glasthermometer zerbeißen könnten, die Temperatur messen, stecken sie es unter einen Arm oder in den After *(Rectum)*. Die Temperatur unter der Achsel ist niedriger als die im After, die näher an die des wärmeren Körperinneren herankommt.
Nicht alle Körperteile haben demnach die gleiche Temperatur. Die Temperatur der Hände und Füße ist niedriger als die im Rumpf. Dies merkt man am deutlichsten an einem kalten Tag, wenn die Luft draußen das Blut in den Extremitäten kühlt.
Das Blut, das den Rumpf verläßt, um ins Bein hinunterzufließen, hat ungefähr 35 °C. Auf dem Weg bis zum Fuß kühlt es ab. Wenn es in der großen Zehe ankommt, hat es wahrscheinlich Raumtemperatur. Diese Abkühlung ist nicht nur das Ergebnis einer Wärmeabgabe an die Luft. Tatsächlich geht auf diese Weise nicht viel Wärme verloren. Der menschliche Körper hat einen sehr raffinierten Wärmeaustauschmechanismus, um die Körpertemperatur in Armen und Beinen zu steuern. Er verfügt über eine Methode, die verhindert, daß das Blut aus den Füßen kalt zum Herzen zurückgelangt. Das könnte nämlich Schäden verursachen. Ohne dieses Verfahren wäre es gefährlich, im Schnee spazierenzugehen!
Die Arterien, die das warme Blut zu den Füßen bringen, sind praktischerweise von Venen umgeben, die das

kalte Blut von den Füßen wegtransportieren. Das kühlere Blut wird so vom wärmeren Blut wieder wunderbar aufgewärmt. Wenn das Blut aus den Füßen an den Leisten wieder in den Rumpf eintritt, hat es fast wieder 37 °C erreicht.

Der wärmste Teil des Körpers ist wahrscheinlich der Teil des Gehirns, der ungefähr 5 cm tief hinter den Augen liegt. Der Grund dafür ist, daß der Kopf – d. h. das Gehirn – im Vergleich zu seiner Größe bei weitem das meiste Blut vom Herzen zugeführt bekommt. Das Gehirn benötigt eine gleichmäßige, starke Blutversorgung, um gut zu funktionieren. Während du dies liest, beansprucht dein Gehirn fast 16 % des Bluthaushalts. Das Blut direkt vom Herzen ist warm, und daher ist auch die Temperatur im Kopf relativ hoch. Ein Blutkörperchen, das vom Herzen durchs Gehirn und wieder zurück zum Herzen fließt, braucht nur 8 Sekunden! Eine Reise zur großen Zehe dürfte fast 60 Sekunden dauern.

Im Brustkorb ist es nicht so warm, wie du vielleicht denkst, weil etwas kälteres Blut von den ganz außen liegenden Körperteilen zurückkommt und beim Atmen außerdem kühlere Luft in die Lungen gepumpt wird, die das Blut abkühlt. Aufnahmen vom Körper, die mit wärmeempfindlichen Spezialkameras gemacht wurden, bestätigten diesen Sachverhalt.

2
Fragen und Antworten zu Gefühlen

Lieber Dr. Pete,
bitte beantworten Sie mir die folgende Frage: Warum wird man blaß, wenn man Angst hat, und warum wird man rot, wenn man verlegen ist?

Der Grund dafür liegt in der Blutzirkulation in der Haut. Wenn man Angst empfindet, werden von zwei Drüsen im Bauchraum *(Retroperitoneum)* über den Nieren (Nebennieren) Hormone wie *Adrenalin* in den Blutstrom ausgeschüttet. Diese Hormone werden oft „Kampf oder Flucht"-Hormone genannt. Der Körper muß ja auf das, was angst macht, reagieren. Und die Hormone bereiten den Körper darauf vor. Die Hormone schicken sauerstoffreiches Blut zu den Muskeln, so daß mehr Sauerstoff zum Davonrennen oder zum Kämpfen zur Verfügung steht.
Das zusätzliche Blut muß ja irgendwo herkommen. Die Haut ist dafür ein idealer Speicherplatz. Die kleinen Blutgefäße in der Haut verengen sich, um das Blut abfließen zu lassen. Deswegen sieht die Haut blaß aus.
Übrigens wird Blut in Notfällen auch aus der Darmgegend abgezogen. Dies verlangsamt die Verdauung, und es kann einem schlecht werden. Das gleiche geschieht bei körperlicher Anstrengung und ist der Grund dafür, daß man oft davor gewarnt wird, nach reichhaltigem Essen herumzurennen oder zu trainieren.
Wenn man verlegen ist, geschieht etwas anderes. Manche Fachleute glauben zwar, daß Verlegenheit eine milde Art der Angst ist, aber es ist doch nicht ganz dasselbe. Wieder steht *Adrenalin* hinter dem, was da passiert. Es sorgt dafür, daß sich die Blutgefäße in be-

stimmten Bereichen der Haut weiten. Oft liegen diese im Gesicht. Wenn sich die Blutgefäße ausdehnen, fließt mehr Blut hinein, und schon wird man rot. Das alles geschieht sehr schnell, und man kann dagegen nicht viel unternehmen!

Lieber Dr. Pete,
stimmt es, daß man sich am Morgen nach dem Aufwachen an das erinnert, was man sich im Schlaf angehört hat?

Nein. Leider stimmt das nicht. Wenn das wahr wäre, würde es das Büffeln für Prüfungen wesentlich vereinfachen.
Es gibt zwei Arten von Gedächtnis: das Kurzzeitgedächtnis und das Langzeitgedächtnis. Die Bezeichnungen erklären schon, worum es sich dabei handelt. Damit das Langzeitgedächtnis greifen kann, müssen dauerhafte Veränderungen in den Gehirnzellen stattfinden. Dabei handelt es sich um chemische Veränderungen. Vom Kurzzeitgedächtnis, das wahrscheinlich aus Nachrichten besteht, die auf bestimmten Bahnen im Gehirn unterwegs sind, wird nicht alles ins Langzeitgedächtnis übernommen.
Angenommen, du möchtest ein Gedicht auswendig lernen, hast es auf Band aufgenommen und läßt es über Nacht wiederholt abspielen. Während des Schlafs ruhen jedoch die Bereiche des Gehirns, in denen das Gedächtnis liegt. Sie nehmen also die Information nicht auf und speichern sie nicht.

Der Schlaf stellt eine wichtige Phase dar, in der sich der Körper ausruhen und für den nächsten Tag erholen kann. Wenn du nicht genug Schlaf bekommst, wird dein Gedächtnis am nächsten Tag nicht so aufnahmebereit sein, auch wenn es sich grundsätzlich immer sehr schnell wieder erholt.
Vor einer Prüfung ist es also viel wichtiger, gut zu schlafen, als die ganze Nacht aufzubleiben, um in letzter Minute noch etwas Wissen in sich hineinzustopfen.

Lieber Dr. Pete,
ist es wahr, daß Leute, die in der Wüste vor Durst sterben, Fata Morganas sehen?

Es kann aus zwei verschiedenen Gründen passieren, daß jemand in der Wüste Wasser sieht. Zum einen können Menschen aufgrund von Wassermangel wirklich krank werden. Der große Durst führt manchmal zu geistiger Verwirrung, und man bildet sich ein, Wasser zu „sehen".
Beim zweiten Grund handelt es sich um eine optische Täuschung, die jede normale, gesunde Person erleben kann. In einer heißen Wüste oder auf einer heißen Straße meint man häufig, eine Wasserfläche zu sehen.
Diese Trugbilder können auf unterschiedliche Weise zustande kommen, hängen aber alle mit der Brechung von Lichtstrahlen zusammen. Normalerweise erreichen Lichtstrahlen unsere Augen in gerader Linie. Wenn die Lichtstrahlen jedoch auf zwei Luftschichten mit unterschiedlicher Dichte treffen, können sie abgelenkt wer-

den. Luftschichten können unterschiedliche Dichte haben, wenn sie aufgrund der örtlichen atmosphärischen Bedingungen unterschiedliche Temperaturen aufweisen.
Die gewöhnliche Fata Morgana in der Wüste wird durch den heißen Sand verursacht, der die Luft unmittelbar über dem Boden aufheizt. Die heiße Luft in der Nähe des Sandes ist weniger dicht als die Luft darüber. Wo diese beiden Luftschichten zusammentreffen, können sie wie ein Spiegel wirken und Licht von entfernten Objekten auf das Auge reflektieren. Man kann Abbilder des Himmels wahrnehmen, so als ob sie auf dem Sand wären. Das kann wie eine Wasserfläche aussehen – besonders wenn man durstig ist und unbedingt Wasser finden will.
An einem heißen Tag kannst du dieses Phänomen selbst auf der Straße erleben. Kauere dich auf einer heißen Asphaltstraße nieder – natürlich NICHT, wenn Autos kommen! –, dann siehst du vielleicht etwas, das aussieht wie eine glänzende Wasserfläche. In Wirklichkeit ist es jedoch ein Abbild des Himmels.

Lieber Dr. Pete,
warum beißen sich Leute auf die Lippen, wenn sie Schmerz verspüren? Das verursacht doch noch mehr Schmerzen?

Schmerz ist ein sehr geheimnisvolles Gefühl. Deine Haut hat spezielle Sensoren für Kälte, Wärme, Berührung, Druck und ebenso Schmerz. Wenn diese gereizt werden, wandert eine Nachricht in einem Nerv zum Rückenmark und von dort hoch ins Gehirn. Die Botschaft wird in einer Verteilerstation empfangen, die man *Thalamus* nennt. Dieser Teil des Gehirns sendet das Signal weiter an die Hirnrinde, den „denkenden" Bereich des Gehirns. Wenn irgendeine Handlung vonnöten ist, wird sie ausgeführt. Die Hirnrinde muß beispielsweise die Muskeln der Hand dazu bewegen, mehr kaltes Wasser einzulassen, weil das Badewasser zu heiß ist. Wenn das Wasser sehr heiß ist, kann, um Zeit zu sparen, auf der Rückenmarksebene schnell reagiert werden. Eine Reflexbewegung sorgt dann dafür, daß man die Hand schnell aus dem Wasser zieht.
Die Schmerzkontrolle im Körper ist jedoch viel komplizierter als hier beschrieben. An verschiedenen Stellen kann das Schmerzempfinden verändert sein. Natürliche schmerzstillende Substanzen, genannt *Endorphine*, können freigesetzt werden, um den Schmerz „abzutöten". Man vermutet, daß Akupunktur so funktioniert. Denn sie sorgt dafür, daß Endorphine ausgeschüttet werden.
Wenn die Schmerznachricht jedoch so stark ist, daß diese chemischen Stoffe den Schmerz nicht mehr abtö-

ten können, kann sie immer noch im Gehirn gestoppt werden. Das Gehirn muß nur so abgelenkt werden, daß es sich auf etwas anderes konzentriert. Wenn du dir also auf die Lippen beißt, kann dies deine Sinne von einem ankommenden Schmerzsignal ablenken.
Dasselbe geschieht z. B. auf dem Spielfeld oder dem Sportplatz. Wenn der Körper verletzt wird, während er sich auf etwas anderes konzentriert, kann es sein, daß man den Schmerz erst später empfindet. So nimmt ein Fußballspieler oft erst nach dem Schlußpfiff wahr, daß er hart gegen das Schienbein getreten wurde.
Aber es funktioniert auch andersherum. Wenn dich jemand auf die bevorstehenden Schmerzen hinweist, kann das Erwarten der Schmerzen das ganze Erlebnis noch viel schmerzhafter machen. Das passiert manchen Leuten beim Zahnarzt.

Lieber Dr. Pete,
was passiert im Körper, wenn man „Flugzeuge im Bauch" hat?

Dieses Gefühl entsteht oft, wenn sich der Körper auf etwas vorbereitet, wovor du Angst hast oder worüber du dich aufregst. Angenommen, du wirst in der Schule zum Direktor gerufen und weißt, daß du etwas ausgefressen

hast. Das Gehirn bereitet den Körper genauso darauf vor, als ob du vor 20 000 Jahren als Höhlenmensch von einem wilden Tier verfolgt würdest. Blut wird automatisch in wichtige Bereiche wie das Gehirn oder Muskeln verteilt. Es transportiert den Sauerstoff, der dir die Energie zum Kämpfen oder zur Flucht verleiht. Daran ist wieder der chemische Bote *Adrenalin* beteiligt.
Da das Blut schnell aus Bereichen wie der Haut und dem Magen abgezogen wird, in denen es im Notfall nicht gebraucht wird, kannst du an deinem Körper einige Veränderungen feststellen. Wenn das Blut wegströmt, erblaßt die Haut, und im Magen entsteht dieses Gefühl, das sehr treffend als „Flugzeuge im Bauch“ umschrieben wird.

Lieber Dr. Pete,
können Sie mir verraten, was Lampenfieber ist? Gibt es dafür ein Heilmittel? Lampenfieber kam bei mir plötzlich auf und wirkt sich schlecht auf das Theaterspielen aus, das mir soviel Spaß macht. Wenn ich Lampenfieber bekomme, hören meine Hände nicht mehr zu zittern auf.

Lampenfieber ist ein Gefühl der Angst. Wenn man vor etwas Angst hat – in deinem Fall ist das der Bühnenauftritt vor dem Publikum –, wird *Adrenalin* ins Blut ausgeschüttet. Die Folgeerscheinungen sind zittrige Hände, stärkeres Schwitzen und starkes Herzklopfen. All das soll dich bereit machen zu handeln. Aber dieses Angstgefühl verwirrt viele Leute.

Es hilft, wenn man sich eine positive Einstellung zum ersten Adrenalinstoß angewöhnt und auf diesen vorbereitet ist. Schließlich handelt es sich dabei um einen ganz natürlichen Vorgang. Hier sind einige Tips, wie man jede Form der Angst – Lampenfieber ist eine davon – bekämpfen kann.

1. Wenn du Angst bekommst, setze dich irgendwo hin, wo es ruhig ist. Noch besser ist es, wenn du dich in deinem Zimmer aufs Bett legst und die Augen schließt.
2. Atme langsam tief ein. Halte deinen Atem für eine Sekunde an und atme dann noch langsamer aus. Mache das 5 bis 10 Minuten lang.
3. Balle deine Hände zusammen, während du einatmest, und lockere sie beim Ausatmen. Es hilft auch, mit Freunden darüber zu sprechen, wie man sich fühlt. Das Gefühl verschwindet oft, wenn man sich bewußtmacht, was vor sich geht. Sei nicht zu streng zu dir selbst. Es ist nicht leicht, wenn man das erste Mal eine Bühne betritt. Als ich zum ersten Mal an einer Live-Fernsehshow teilnahm, schwitzte ich so stark, daß ich glaubte, ich müßte mich mit einem Deodorant einsprühen. Ich war dermaßen aufgeregt, daß ich mich aus Versehen mit Kleiderstärke einsprühte, die in der Garderobe herumlag! Aber ich habe es überlebt!

Lieber Dr. Pete,
kürzlich las ich Edgar Allan Poes Geschichte „Der seltsame Fall des Mr. M. Valdemar“, in der der fragliche Mann im Moment seines Todes hypnotisiert und somit vom Hypnotiseur am Leben gehalten wurde. Könnte im wirklichen Leben der Moment des Todes durch Hypnose hinausgezögert werden?

Nein. Hypnose ist eine intensive seelische Beeinflussung, aber Hypnotiseure sind nicht in der Lage, den Leuten Unmögliches einzureden. Hypnotiseure können den Tod nicht überlisten. Wenn sie das könnten, wären sie in den Intensivstationen der Krankenhäuser sehr gefragt.
Hypnotiseure sind auch nicht fähig, Dinge einzureden, die ihre Patienten nicht wirklich wollen. Hier liegt der Grund dafür, daß die Erfolgsrate recht niedrig ist, wenn Rauchern ihr Laster durch Hypnose abgewöhnt werden soll. In seinem tiefsten Inneren wünscht sich der Raucher vielleicht, mit dem Rauchen fortzufahren.
Es gibt Stadien tiefster Entspannung, die dem entsprechen, was im Volksmund unter Hypnose verstanden wird. Indische Fakire (weise fromme Männer) liegen auf dem Nagelbrett oft in solcher Meditation. Der Puls verlangsamt sich, und jene Leute scheinen sich in einem Zustand vorübergehender Leblosigkeit zu befinden; aber sie können den Tod auf diese Weise nicht betrügen.

3
Fragen und Antworten zu Gehirn, Nerven und den fünf Sinnen

Lieber Dr. Pete,
was geht vor, wenn einem der Fuß oder die Hand einschläft?

Die meisten Leute kennen das kribbelnde Gefühl, wenn einem die Gliedmaßen „einschlafen“. Der Grund dafür ist, daß vorübergehend die normale Funktion eines Nervs unterbrochen wird. Viele Dinge können dieses Gefühl auslösen, das sich als eine Mischung aus Taubheit und „Nadelstichen“ in der Haut darstellt.
Eine häufige Ursache ist eine unbequeme Schlafhaltung, bei der ein Nerv im Arm oder im Bein von dem Gewicht deines schlafenden Körpers eingeklemmt wird. Wenn du aufwachst, fängt das Blut wieder an, normal zu fließen, und wenn dann der Nerv zum Arm wieder voll zu funktionieren beginnt, hast du für kurze Zeit das Gefühl von Nadelstichen.
Wie ich schon sagte, gibt es verschiedene Ursachen für das taube Gefühl und die Nadelstiche. Es kann sich auch um einen Bandscheibenvorfall handeln. Das Rükkenmark verläuft in den Knochen der Wirbelsäule. Zu einem Bandscheibenschaden kommt es, wenn sich eine Bandscheibe, ein kleiner Knorpel, zwischen zwei Wirbel schiebt und auf einen Nerv drückt, der dem Rückenmark entspringt. Es kommt dort, wohin der Nerv führt, zu einem tauben Gefühl. Wenn es sich also dabei um einen Nerv handelt, der zum Fuß verläuft, wird man das Gefühl im Fuß verspüren, obwohl es zwischen den Wirbeln des unteren Rückens seinen Ursprung hat.

Lieber Dr. Pete,
kann man testen, wie schnell jemand denkt?

Ja. Man kann die Reaktion einer Person testen, indem man ein Lineal an einem Ende hält und das andere Ende zwischen dem Daumen und dem Zeigefinger der anderen Person baumeln läßt. Fordere deine Testperson auf, das Lineal zu fangen, wenn du es losläßt. Ihre Finger sollten ungefähr 2 cm voneinander entfernt sein, und sie darf nicht wissen, wann du das Lineal fallen lassen wirst.
Reflexe werden mit zunehmendem Alter langsamer, so daß deine Reaktionszeit mit Sicherheit kürzer ist als die deiner Großeltern und wahrscheinlich auch kürzer als die deiner Eltern.
Versuche doch mal, die Reaktion eines Erwachsenen zu testen, der Alkohol getrunken hat, und wiederhole das Experiment später noch einmal, wenn er wieder ganz nüchtern ist. Du wirst erstaunt sein, wie sehr ein alkoholisches Getränk das Reaktionsvermögen herabsetzt. Deswegen ist es auch so gefährlich, nach Alkoholgenuß ein Auto zu steuern.

Lieber Dr. Pete,
ich habe eine Geschichte von Roald Dahl gelesen, in der das Gehirn und ein Auge eines Mannes nach dessen Tod am Leben gehalten wurde. Ist das möglich?

Ja, ich denke schon. Die Geschichte heißt „William und Mary", und ich habe sie noch einmal gelesen, um zu überprüfen, ob alle Dinge, die bei Dahl mit Williams Gehirn passieren, möglich sind.
Ohne das Ende der Geschichte zu verraten: Ein Neurochirurg wartet am Bett seines Freundes William, der wegen Magenkrebs im Sterben liegt. Als das Geschwür den Mann schließlich tötet, schließt der Neurochirurg Williams gesundes Gehirn umgehend an eine künstliche Blutversorgung an. Roald Dahl verwendet all die richtigen Fachbegriffe, und seine Kenntnisse der Anatomie des menschlichen Gehirns sind perfekt.
Dann entfernt der Chirurg das Gehirn und dessen Schutzhülle *(Dura)* aus dem Schädel. Zur Aufnahme von Informationen läßt er nur ein Auge und dessen Nerv mit dem Gehirn verbunden.
Ich habe mich mit einem Freund, einem Neurologen, unterhalten, und er denkt wie ich, daß dies technisch sehr, sehr schwierig, aber nicht unmöglich wäre. Zwar würde das Rückenmark durchtrennt werden, aber das Gedächtnis und all die sogenannten höheren Denkprozesse des Gehirns würden trotzdem weiter funktionieren – solange es von einem künstlichen Herzen versorgt wird, das das künstliche Blut mit den Nährstoffen und dem Sauerstoff hindurchpumpt.

Im Buch wird das Gehirn dadurch vor dem Austrocknen bewahrt, daß es dauernd in einer Flüssigkeit schwimmt. Es wäre außerdem sehr wichtig, zu verhindern, daß das Gehirn infiziert wird. Ohne den Schutz von Schädel und Haut wäre es sehr verletzlich.
Niemand hat meines Wissens bisher die notwendige Kunstfertigkeit und den Drang besessen, ein solches Experiment durchzuführen! Aber theoretisch halte ich es für möglich.

Lieber Dr. Pete,
tragen Fußballer vom Köpfen des Balls Verletzungen davon?

Das passiert sehr selten, weil Fußballer mit der Stirn „köpfen" und dabei für den Aufprall die Nackenmuskeln am Hinterkopf anspannen. Außerdem sind Fußbälle nicht hart wie Stein und können unter normalen Umständen keinen Schädelbruch verursachen.
Es gibt einen Bereich am Schädel, der für Kopfverletzungen im Sport besonders anfällig ist: die Seite des Kopfes in der Schläfenregion. (Die Schläfen liegen etwas höher als das Ohr und ein wenig weiter vorn.)

Dort verläuft eine Arterie auf der Schädeldecke, die bei einem scheinbar harmlosen Schlag, z. B. durch einen Golfball oder einen Fußball, verletzt werden kann.
Du solltest es immer melden, wenn jemand bewußtlos wird, besonders wenn ihn ein Schlag auf die Seite des Kopfes getroffen hat. Und das auch, wenn er sich zunächst schnell wieder zu erholen scheint.

Lieber Dr. Pete,
ich habe einmal von einer Tänzerin gehört, die kein Gefühl in ihrem Fuß hatte. Sie hätte keinen Schmerz verspürt, auch wenn man ihr mit einer Nadel in den Fuß gestochen hätte. Natürlich war das gefährlich, denn sie hätte es nicht einmal gemerkt, wenn sie verblutet wäre. Gibt es so ein taubes Gefühl wirklich? Wenn ja, wie kommt es dazu?

Ich kenne keine Krankheit, bei der man durch übermäßiges Tanzen oder Laufen ein taubes Gefühl in den Füßen bekommt.
Es gibt allerdings Nervenleiden, die Taubheit in den Füßen auslösen. Tänzer können diese genauso bekommen wie jeder andere auch.
1. Es gibt Menschen, die ohne Schmerzempfindung geboren werden. Sie können Hitze, Kälte und Erschütterungen wahrnehmen, sehen, riechen, schmecken und hören, aber Schmerzen verspüren sie einfach nicht. Das kann natürlich dazu führen, daß Körperteile Schaden nehmen, weil der Körper nicht durch rechtzeitige Schmerzsignale gewarnt wird.

2. Es gibt eine seltene Krankheit, bei der sich das Gefühl in den Füßen so verändert, daß der Patient Taubheit empfindet. Das gleiche kann auch mit den Händen geschehen. Solche Beschwerden haben viele Ursachen, und in einigen seltenen Fällen sind sie sogar angeboren. Dieses Leiden ist unter dem Namen Charcot-Marie-Tooth-Krankheit bekannt.
Die einzige Art, wie Tänzer und Eiskunstläufer ihr Nervensystem verändern können, ist, wenn sie immer wieder Drehungen üben. Dies verändert den Gleichgewichtssinn *(vestibularer Reflex)* im Innenohr in der Art, daß diesen Leuten nicht mehr schwindelig wird, wenn sie aus einem Karussell aussteigen!

Lieber Dr. Pete,
warum verspüren wir Juckreiz, und warum kratzen wir, wenn es juckt?

Der Juckreiz ist eine Empfindung wie Schmerz, Berührung, Hitze und Kälte. Für jede dieser Empfindungen existieren eigene Nerven, die die Nachricht ans Gehirn weiterleiten. Der Juckreiz wird wahrscheinlich von den Nerven ans Hirn gemeldet, die für den Schmerz zuständig sind. Bis heute sind sich die Wissenschaftler aber darüber noch nicht völlig im klaren.
Wenn man die Schmerz-Nervenstränge leicht anregt, entsteht ein Juckreiz. Stimuliert man diese Stränge stärker – möglicherweise indem man die Haut stärker kratzt als sie nur mit einer Feder zu kitzeln, dann registriert das Gehirn dies als Schmerz und nicht als Jucken.
Wir kratzen, wenn es uns juckt, denn das Kratzen überlagert den Juckreiz mit einer stärkeren Empfindung.
Der Juckreiz ist noch nicht vollkommen erforscht. Niemand weiß, warum er ohne jede Stimulierung der Haut einsetzen kann.
Viele Leute fangen an, sich zu kratzen, wenn sie andere sehen, die dasselbe tun. Irgendwie überträgt ihr Gehirn etwas, was sie sehen, in etwas, was sie fühlen. Ich frage mich, wie viele von euch wohl angefangen haben, sich zu kratzen, während sie das hier lesen?

Lieber Dr. Pete,
warum kann man das Blut in der Zunge nicht schmecken?

Blut hat tatsächlich einen eigenen Geschmack. Das hast du sicher auch schon festgestellt, falls du dich schon mal in den Finger geschnitten hast. Damit man Blut schmecken kann, muß es jedoch mit den Geschmacksknospen an der Zungenoberfläche in Kontakt kommen. Wenn das Blut in der Zunge ist, befindet es sich in den Blutgefäßen und übermittelt keine Geschmacksempfindung an die Geschmacksknospen außen.
Jeder Geschmack muß erst im Speichel „aufgelöst“ werden, damit ihn die Geschmacksknospen erkennen können. Diese Knospen befinden sich tatsächlich nicht nur auf der Zungenoberfläche, sondern auch am Gaumen und hinten im Rachen. Du hast ungefähr 9 000 Stück davon! Einige werden mit zunehmendem Alter verschwinden, und du wirst später süße Sachen nicht mehr so leicht schmecken können.
Genauso wie es drei Grundfarben gibt (Rot, Blau und Gelb), existieren vier Grundgeschmacksrichtungen: süß, bitter, sauer und salzig. Die meisten der süßen Geschmacksknospen befinden sich an der Zungenspitze, die meisten bitteren liegen weiter hinten.

Lieber Dr. Pete,
können Sie mir bitte folgende Fragen über die Augen beantworten:

1. Warum sieht alles rot aus, wenn man die Augen schließt und in die Sonne schaut?

Das helle Sonnenlicht scheint leicht durch deine Augenlider hindurch. In den Augenlidern verlaufen Blutgefäße, und da Blut rot ist, sieht alles rot aus – nicht schwarz.
Schau niemals direkt in eine derart helle Lichtquelle wie die Sonne. Die Lichtstrahlen können den hinteren Teil des Auges (Netzhaut) beschädigen. Als Galileo Galilei das erste Teleskop entwickelte, warf er damit einen Blick auf die Sonne und erblindete dadurch teilweise.

2. Ich habe einen alten Teddybären. Wenn ich ihn küsse, sieht er aus, als ob er schielen würde. Warum?

Das menschliche Auge hat eine große Schärfentiefe. Das bedeutet, daß du ohne weiteres alles vom Horizont bis zu diesem Buch scharf sehen kannst. Deine beiden Augen liegen ungefähr 6 cm auseinander. Von jedem erhält das Gehirn ein Bild aus einem etwas anderen Blickwinkel. Das Ergebnis ist räumliches Sehen. Doch deine Augen können nicht bei jeder Entfernung einwandfrei arbeiten. Wenn du deinen Teddy küßt, bist du ihm so nah, daß die räumliche Wahrnehmung mit zwei Augen nicht mehr funktioniert. Das Ergebnis: Es sieht so aus, als ob dein Bär schielen würde. Das menschliche Auge ist für derart kurze Entfernungen nicht eingerichtet. Die meisten Menschen machen ja beim Küssen die Augen zu!

3. Warum kann man Dinge im Dunkeln nicht gut wahrnehmen, wenn man sie direkt anschaut?

Der hintere Teil des Auges (Netzhaut) verfügt über zwei verschiedene Arten von lichtempfindlichen Zellen. Diese werden Stäbchen und Zapfen genannt. Zapfen erkennen Farben und Stäbchen die Helligkeit des Lichts. Die Stäbchen befinden sich mehr am Rand der Netzhaut und die Zapfen in der Mitte. Bei Tageslicht funktioniert das gut, weil wir die Mitte der Netzhaut am meisten beanspruchen – das Gehirn bekommt also die besten Farbbilder geliefert.
Im Dunkeln arbeiten jedoch die Stäbchen viel besser. Damit kann auch der Randbereich der Netzhaut zeigen, was in ihm steckt.
Probiere es nachts im Bett, wenn das Licht ausgeschaltet ist. Schau einen Gegenstand direkt an, und es sieht so aus, als ob er verschwinden würde. Wenn du aber

seitlich an ihm vorbeischaust, taucht er in deinem „seitlichen“ Gesichtsfeld auf.
Übrigens: Hühner haben in ihren Augen keine Stäbchen und sind nachts blind.

4. Warum erscheinen die Augen auf Fotografien manchmal rot?

Wenn der Blitz der Kamera der Augenlinse nahe ist, kann das Blitzlicht direkt von der Netzhaut auf den Film reflektiert werden. Die Netzhaut ist wegen ihrer Äderchen rot. Dies verursacht den roten Effekt auf den Fotos. Die Kamera hat ein Bild von der Netzhaut aufgenommen.
Mit einigen neueren Kameras läßt sich dieser Effekt vermeiden. Bevor der Hauptblitz bei der Aufnahme des Fotos losgeht, wird ein kleinerer Blitz aktiviert. Dieser erste Blitz sorgt dafür, daß sich die Pupillen der fotografierten Person zusammenziehen. Dadurch wird verhindert, daß Licht von der Netzhaut auf den Film zurückgeworfen wird.
Man kann die „roten Augen“ auch vermeiden, indem man einen Blitz verwendet, der nicht an der Kamera montiert ist, und diesen etwas von der Kamera weghält.

Lieber Dr. Pete,
warum klingt meine Stimme anders, wenn ich sie vom Tonband höre?

Von einem Tonband hörst du deine Stimme so, wie sie vom Rest der Welt wahrgenommen wird. Wenn du sprichst, hörst du deine eigene Stimme aus dem Inneren deines Schädels. Der Klang dringt durch deine Knochen und andere Gewebe zu deinem Gehirn vor. Dies verleiht ihm eine andere Klangfarbe, als wenn dich jemand anderes mit seinen Ohren sprechen hört.
Niemand hört deine Stimme so wie du. Wenn du wissen möchtest, wie deine Stimme für andere klingt, mußt du dir eine Tonbandaufnahme anhören.

Lieber Dr. Pete,
wie ist es möglich, daß man genau weiß, aus welcher Richtung ein Geräusch kommt, wenn es dunkel ist oder wenn man die Augen zuhat?

Das funktioniert, weil man zwei Ohren hat. Das Gehirn kann die Signale vergleichen, die von jedem Ohr kommen, und auf 3 Grad genau feststellen, woher ein Geräusch kommt. Eulen sind da noch viel besser und können ein Geräusch auf 1 Grad genau orten. Das liegt daran, daß ihre Ohren etwas anders plaziert sind. Ein Ohr ist ein bißchen weiter vorne als das andere.

Lieber Dr. Pete,
ist es möglich, unter Wasser zu riechen?

Theoretisch ja. Aber es ist schwierig, wenn man nicht ertrinken will! Partikel von jedem Geruch lösen sich auf der feuchten Oberfläche im Inneren der Nase auf. Spezielle Zellen senden dann die Geruchssignale ans Gehirn.
Einige Fische können riechen, und auch Haie finden im Wasser so ihre Nahrung.
Nicht alle Lebewesen riechen mit der Nase wie wir. Schlangen riechen mit der Zunge, Bienen mit den unteren Gelenken ihrer sechs Beine. Sogar Schnecken können riechen. Das kannst du im Sommer mit einem Stück grünem Salat ausprobieren. Lege den Salat in eine Glasflasche, und die Schnecke wird sofort herbeikriechen. Versuch es einmal und sieh dir an, was passiert.
Hast du deine Freunde schon einmal nach ihrem Lieblingsgeruch gefragt? Die meisten werden sich für Essen oder ein Getränk entscheiden. Hier zeigt sich die wahre Bedeutung des Geruchssinns in der Tierwelt – er soll dorthin führen, wo es etwas zu essen und zu trinken gibt.
Die meisten Menschen können ungefähr 4 000 Gerüche voneinander unterscheiden. Aber es ist möglich, unsere Nase so weit zu trainieren, daß sie bis zu 10 000 Gerüche erkennen kann. Leute, die von Berufs wegen Weine testen oder Parfums entwickeln, lernen, wie man das macht.
Wußtest du, daß Gorillaweibchen wie Kautschuk rie-

chen? Oder daß der „frische“ Geruch des Bodens nach einem Regenschauer von freigesetzten kleinen Pilzsporen verursacht wird?

Lieber Dr. Pete,
welcher Körperteil eignet sich am besten dazu, die Temperatur des Badewassers zu messen?

Du hast die Wahl zwischen den Zehen, der Hand und dem Ellbogen. Diese eignen sich besonders, weil sie dir einen Eindruck von der Wassertemperatur verschaffen und du sie schnell zurückziehen kannst, wenn das Wasser zu kalt oder zu heiß ist. Es ist nicht besonders praktisch, den Kopf ins heiße Wasser zu stecken!
Welcher Teil der Hand, des Fußes und des Ellbogens ist denn nun der idealste Wärmefühler? Mütter, die ihre Babys baden wollen, nehmen den Ellbogen dazu, und ich würde ihnen zustimmen. Der Fuß ist denkbar weit vom Körpermittelpunkt entfernt. Das bedeutet, daß er wesentlich kälter ist als die Körperinnentemperatur von 37 °C (siehe Seiten 15–17). Der Fuß nimmt das Badewasser somit vielleicht wärmer wahr, als es tatsächlich ist.
Die Hand mag besser geeignet sein als der Fuß, aber

auch ihre Temperatur (wärmer als der Fuß) ist starken Schwankungen unterworfen und nicht so zuverlässig wie der Ellbogen. Der Handrücken verfügt über viel mehr Wärme- als Kältesensoren. Auf jeden Kältesensor kommen sechs „Wärmefühler".

Mit dem Ellbogen kann man die wirkliche Temperatur gut fühlen, weil dort die Haut eine normale Dicke hat, die Temperatur gleichmäßiger ist als bei Händen und Füßen und – was außerdem noch wichtig ist – weil sich dort unter der Haut nur eine dünne Fettschicht befindet. Fett unter der Haut schützt den Körper vor Temperaturschwankungen und würde zu einer ungenauen Einschätzung der Wassertemperatur führen. Aus diesem Grund ist es nicht ratsam, zuerst den Po ins Wasser zu tauchen – auch wenn das eigentlich naheliegend ist!

Beachte: Die Haut enthält vier Grundtypen von Sensoren. Diese Nervenenden registrieren Wärme, Kälte, Schmerz und Berührung. Viele Empfindungen stellen eine Mischung aus mehreren Informationen dar. So ist z. B. ein Kuß eine Mischung aus Wärme und Berührung.

4

Fragen und Antworten zu Muskeln, Knochen, Gelenken und Sehnen

Lieber Dr. Pete,
stimmt es, daß Männer und Frauen gleich viele Rippen haben?

Ja, normalerweise stimmt es, aber manche Leute lassen sich verunsichern, weil sie in der Bibel gelesen haben, daß Gott Adam eine Rippe herausgeschnitten und daraus Eva erschaffen hat. Aber es gibt auch noch eine Besonderheit im menschlichen Skelett, die Verwirrung stiften könnte: Männer und Frauen haben auf jeder Seite je zwölf Rippen. Du kannst sie vorne und hinten in deinem eigenen Brustkorb fühlen. Die meisten von uns kennen das von Abbildungen des Skeletts.
Viele Menschen haben jedoch ein zusätzliches Paar Rippen. Wenn das der Fall ist, sitzt es direkt unter dem Hals in der Nähe des Schlüsselbeins. In einigen Fachbüchern heißt es, daß in etwa eine von 20 Personen eine zusätzliche Rippe hat. Meine Anatomiebücher setzen diese Zahl mit 0,5 % viel niedriger an. Das ist einer von 200. Wahrscheinlich liegt die Wahrheit irgendwo in der Mitte. Viele Leute haben eine zusätzliche Rippe und erfahren es nie, weil sie ihnen niemals irgendwelche Beschwerden verursacht.
Männer, und das ist der eigentlich wichtige Aspekt dieser Frage, scheinen jedoch öfter eine zusätzliche Rippe zu haben als Frauen. Es kommt ungefähr dreimal so oft vor. Wenn also die Menschen in der Vergangenheit die Bibel kannten und möglicherweise männliche Skelette mit zusätzlichen Rippen sahen, zogen sie vermutlich den falschen Schluß, daß alle Männer eine Rippe mehr haben als Frauen.

Lieber Dr. Pete,
warum wird mein Kopf aus dem Kissen hochgeschleudert, wenn ich im Bett niesen muß?

Wenn du niest, ziehen sich alle möglichen Muskeln schnell zusammen, so daß die Luft mit der Geschwindigkeit eines Wirbelsturms aus deiner Nase herausschießt. Dadurch wird alles davongeblasen, was die Nasenschleimhäute reizt. Einige der Muskeln bewirken auch, daß dein Kopf nach vorn gezogen wird. Das wird dir stärker bewußt, wenn du beim Niesen liegst, als wenn du im Stehen niest. Über einige Muskeln hast du beim Niesen gar keine Kontrolle. Versuche das nächste Mal, beim Niesen die Augen offenzuhalten. Es wird dir nicht gelingen! Die Augenmuskulatur wird deine Augen während des Niesens für einen kurzen Moment schließen.

Lieber Dr. Pete,
warum steht der Adamsapfel bei Jungen weiter hervor als bei Mädchen? Kann man damit männliche von weiblichen Skeletten unterscheiden?

Hinter dem Namen „Adamsapfel“ steht die Vorstellung, daß dem biblischen Adam die verbotene Frucht aus dem Paradies im Hals steckengeblieben sein muß.
Der Adamsapfel setzt sich aus Knorpel zusammen, einem festen Gewebe, das aber nicht aus Knochenmaterial besteht. Wenn also ein Wissenschaftler – oder die Polizei – wissen will, ob ein ausgegrabenes Skelett männlich oder weiblich ist, wird ihm der Adamsapfel nicht weiterhelfen, weil Gewebe mit der Zeit verwest.
Der „Adamsapfel“ ist ein Teil des Kehlkopfs, der aus mehreren Knorpeln im vorderen Teil des Halses besteht. Die Luftröhre *(Trachea)* verbindet dieses System mit den Lungen im Brustkorb.
Der größte Knorpel ist der Schildknorpel. Er sieht aus wie ein Schneepflug, und die Vorderseite dieses „Schneepflugs“ wird Adamsapfel genannt. Bei Jungen steht er meist etwas weiter hervor als bei Mädchen.
Deine Stimme wird im Kehlkopf erzeugt. Das ist aber nicht dessen einzige Aufgabe. Durch den Kehlkopf gelangt die Luft in die Lungen. Er hat oben eine „Falltür“ (Kehldeckel oder *Epiglottis*) aus Knorpel, die die Lungen davor schützt, daß Nahrungsmittel „in den falschen Hals“ kommen und du dich verschluckst. Wenn die Nahrung, die eigentlich für den Magen bestimmt ist, an dieser Barriere vorbeikommt, kannst du im schlimmsten Fall daran ersticken.

Im folgenden zähle ich die wesentlichen Unterscheidungsmerkmale zwischen männlichen und weiblichen Skeletten auf. Männliche Skelette sind meist grober, rauher und haben mehr Ecken und Kanten als die weiblichen. Der Grund dafür liegt darin, daß Männer stärkere Muskeln haben, und die „Ecken und Kanten" befinden sich dort, wo Sehnen die Muskeln mit den Knochen verbinden.

Der zweite große Unterschied liegt im Beckenbereich. Wenn man von oben auf das weibliche Becken schaut, ist es ovaler und runder als das männliche, das in seiner Form mehr einem Herzen gleicht. Es gibt keine Knochen, die in den Beckenraum der Frau hineinragen, weil der Kopf eines Babys, sein größter Körperteil, bei der Geburt ohne steckenzubleiben durch das Becken gelangen muß.

Wenn man einem Fachmann ein vollständiges Skelett zeigt, kann er in neun von zehn Fällen das Geschlecht bestimmen. Dem Experten hilft es auch, wenn er die Rasse kennt. Die verschiedenen Rassen haben nämlich einen unterschiedlichen Knochenbau. Die Skelette von männlichen Asiaten zum Beispiel erscheinen im Vergleich zu denen anderer Männer oft recht zierlich und könnten mit Frauenskeletten einer nichtasiatischen Rasse verwechselt werden.

Lieber Dr. Pete,
gibt es wirklich so etwas wie Wachstumsschmerzen?

Ja. Wenn junge Leute schnell wachsen, kann das Wachstum der langen Knochen in Armen und Beinen das Wachstum der Sehnen überholen, die die Muskeln mit den Knochen verbinden. Dies kann Schmerzen verursachen, weil die Sehnen am Knochen befestigt sind. Die Schmerzen können andauern, bis das Wachstum der Sehnen das der Knochen wieder eingeholt hat. Man nennt das Wachstumsschmerzen, aber sie sind nicht gefährlich.

Lieber Dr. Pete,
wie können manche Menschen mit den Ohren wackeln und ihre Nasenflügel blähen?

Jeder von uns hat drei kleine Muskeln um jedes Ohr. Sie verbinden das Ohr mit dem Schädel und der Kopfhaut. Manche Tiere bewegen ihre Ohren, um die Richtung festzustellen, aus der ein Geräusch kommt. Die menschliche Ohrmuschel muß nicht wie eine Satellitenschüssel funktionieren, denn wir müssen unsere Nahrung nicht mehr erjagen oder uns vor wilden Tieren in acht nehmen wie unsere Vorfahren vor zigtausend Jahren.
Trotzdem gibt es immer noch Leute, die diese Muskeln bewegen können. Man erzählt sich, daß Napoleons zweite Ehefrau, Marie Louise, nicht nur mit den Ohren wackeln, sondern sie auch von innen nach außen drehen konnte!

Und jetzt zur Nase! Dort gibt es auf jeder Seite vier kleine Muskeln, die manche Menschen bewegen können, auch wenn es heute nicht mehr notwendig ist, herannahende Feinde oder Nahrungsmittel zu riechen.
Der Muskel, der die Nasenflügel bläht, wird *Levator labii* genannt. Ein Muskel namens *Depressor septi* unterstützt ihn dabei. Die anderen beiden Muskeln heißen *Procerus* und *Compressor naris*. Der *Procerus* verläuft von zwischen den Augenbrauen bis zum oberen Teil des Nasenrückens. Der *Compressor naris* läuft vom Nasenrücken hinunter zum Gesichtsknochen bis zu den oberen Schneidezähnen.
Es gibt noch viele andere Muskeln, die das Gesicht bewegen. Die meisten von ihnen sind größer und stärker als die vier beschriebenen Muskeln. Die Fähigkeit, diese Muskeln zu gebrauchen, wird meistens vererbt. Wenn man darüber nachdenkt, ist das eigentlich auch einleuchtend. Schließlich haben Geschwister oft einen ähnlichen Gesichtsausdruck oder das gleiche Lächeln.

Lieber Dr. Pete,
was ist die Achillesferse?

Das ist die Sehne, die hinten am Bein die Wadenmuskeln mit dem Fersenbeinknochen verbindet. Du kannst sie am besten fühlen, wenn du dich auf die Zehenspitzen stellst.

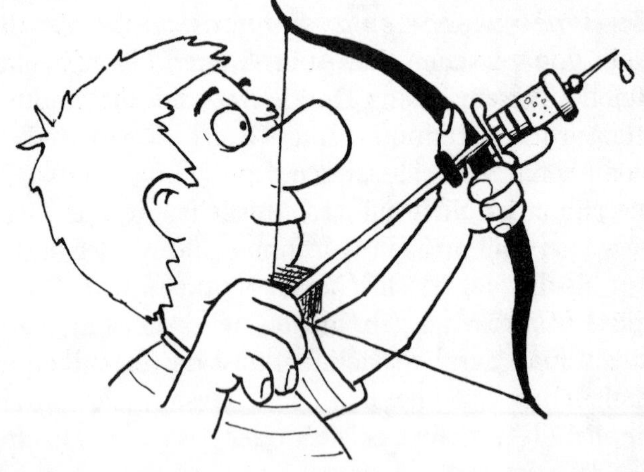

Die Achillessehne *(Tendo calcaneus)* ist die dickste und kräftigste Sehne des menschlichen Körpers. Sie ist um die 15 cm lang und beginnt hinten ungefähr in der Mitte der Wade. Sie wird nach unten dünner und verdickt sich wieder zum hinteren Teil des Knöchels, wo sie am Fersenbein, dem großen Knochen hinten unten am Fuß, befestigt ist. Die Achillessehne ermöglicht den Wadenmuskeln, uns am Knöchelgelenk beim Laufen, Rennen und Springen die nötige Kraft zu verleihen. Beim Sport wird sie oft angerissen. Und wenn das passiert, ist man in seiner Bewegungsfähigkeit ziemlich eingeschränkt.

Die Geschichte von der Achillesferse kommt aus der griechischen Sage. Dort wird erzählt, daß die Mutter des Achilles ihren Sohn zum Fluß Styx brachte, um ihn in dessen Wasser zu baden. Man glaubte nämlich, dieses Wasser hätte magische Kräfte und würde unverwundbar machen. Achilles' Mutter hielt ihren Sohn, als sie ihn ins Wasser tauchte, unglücklicherweise an einer Ferse fest. So blieb die Ferse trocken und war fortan sein einziger verletzlicher Punkt. Später wurde Achilles von einem vergifteten Pfeil getötet, der ihn in der Fersengegend traf.
Als „Achillesferse" bezeichnet man heute im übertragenen Sinn den Schwachpunkt einer Person.

Lieber Dr. Pete,
wie schaffen es Ballettänzer, auf ihren Zehen zu stehen?

Ballettänzer tragen Schuhe mit harten, viereckigen Spitzen und kräftigen Sohlen. Selbst mit viel Übung ist auch ein Ballettänzer nicht in der Lage, barfuß auf den Zehen zu stehen. Zusätzlich zu diesen besonderen Schuhen entwickelt der Ballettänzer beim Training starke Knöchel und einen guten Gleichgewichtssinn. Die Zehennägel bleiben immer kurz geschnitten, damit sie nicht einwachsen. Das ist das ganze Geheimnis, aber dazu kommt noch viel Übung!

Lieber Dr. Pete,
was ist ein „Musikantenknochen“?

Der Musikantenknochen befindet sich auf der Innenseite des Ellbogengelenks. Dort verläuft ein *Nervus ulnaris* genannter Nerv über die Elle *(Ulna)*. Winkle deinen Ellbogen leicht an, und du kannst die Kerbe leicht am unteren inneren Teil des Ellbogens ertasten. Im unteren Abschnitt des Ellbogens ist der Nerv, der sich dicht unter der Haut befindet, offenbar besonders leicht durch Schläge gegen den Knochen zu reizen. Wenn dies geschieht, entsteht das eigenartige, elektrisierende Gefühl, das man „Musikantenknochen“ nennt. Eigentlich müßte es „Musikantennerv“ heißen!

Lieber Dr. Pete,
welcher Muskel ist wirklich der größte im menschlichen Körper?

Vor einiger Zeit schrieb ich in einem Artikel, der größte Muskel sei der Gesäßmuskel *(Glutaeus maximus)*. Darauf habe ich einen Brief bekommen, in dem behauptet wird, die Gebärmutter *(Uterus)* wäre der größte Muskel. Dazu muß man sagen, daß die Hälfte der Bevölkerung, nämlich die Männer, keine Gebärmutter haben. Und bei denen ist der Gesäßmuskel eindeutig der größte.
Die Gebärmutter ist, falls du das noch nicht weißt, ein hohler Muskel, den Frauen in ihrem Unterleib haben. Wenn eine Frau nicht schwanger ist, hat die Gebärmutter ungefähr die Größe eines Enteneis. In diesem Zu-

stand wiegt sie um die 30 Gramm. Während der neun Schwangerschaftsmonate vergrößert sie sich gewaltig, bis sie ungefähr 1000 Gramm wiegt.
Der Gesäßmuskel dagegen ist der Muskel, der das Hüftgelenk bewegt, und es ist der Muskel, der in allen medizinischen Fachbüchern und im Guinness-Buch der Rekorde als der größte im menschlichen Körper bezeichnet wird.
In Rekord-Büchern geht man aber meist vom Normalzustand eines Körperteils aus. Man wird die Gebärmutter wahrscheinlich deshalb nicht berücksichtigen, weil sie nur im Endstadium der Schwangerschaft 1000 Gramm wiegt und weil nur die Hälfte der Menschheit eine hat!

Der längste Muskel im menschlichen Körper ist der *Sartorius*. Er verläuft wie ein dünnes Band vom Becken hinunter vorne am Oberschenkel entlang bis zum oberen Ende des Schienbeins. Er beugt die Hüfte und das Kniegelenk, wenn man im Schneidersitz sitzt.
Der für seine Größe stärkste Muskel im Körper ist wahrscheinlich der Kaumuskel, der den Mund schließt und den Kiefer zusammendrückt.
Der Muskel mit dem längsten Namen ist ganz sicher der *Levator labii superioris atloeque nasi*. Er verläuft von der inneren Ecke des Auges bis zum Nasenflügel.

Lieber Dr. Pete,
warum bekommt man „Seitenstechen“, wenn man lange läuft, und warum ist das so schmerzhaft?

Dieser stechende Schmerz in der Seite ist eine Art Krampf. Wenn man schnell laufen muß, der Körper aber nicht an eine solche Belastung gewöhnt ist, können sich die Muskeln verkrampfen.
Zwischen Bauch und Brustkorb verläuft ein großer, flacher Muskel, der für die Atemtätigkeit der Lungen zuständig ist. Der Muskel bewegt den Brustkorb wie eine Art Blasebalg. Dieser Muskel und die kleineren zwischen den Rippen müssen beim schnellen Laufen schwerer arbeiten, um genügend Sauerstoff in den Körper zu bringen. Wenn die untrainierten Muskeln zu hart arbeiten müssen, verkrampfen sie sich, und du fühlst einen stechenden Schmerz in der Seite.
Wenn du aufhörst zu rennen und dich nach vorn beugst, entspannen sich die Muskeln, und der Schmerz wird bald verschwinden. Außerdem löst sich ein Krampf immer, wenn man den betroffenen Muskel streckt.

Lieber Dr. Pete,
warum krümmen sich alle Finger, wenn man einen Finger der Hand anwinkelt?

Um eine Antwort auf diese Frage zu finden, sollte man zuerst beobachten, wie das mit den Zehen ist. Menschen sind nicht in der Lage, die Zehen einzeln zu bewegen. Ich wette, daß es auch dir nicht gelingt, eine Zehe zu krümmen und die anderen ausgestreckt zu lassen. Die Muskeln, die die an den Zehenknochen befestigten Sehnen bewegen, verlaufen nicht nur zu einer einzigen Zehe. Wenn ein Muskel angespannt wird, bewegen sich alle Zehen gleichzeitig mit. Die Feinkontrolle, die wir über unsere Füße haben, ist sehr begrenzt. Affen können ihre Füße mit viel Feingefühl einsetzen und auch kleinere Dinge greifen. Unsere Füße dienen in erster Linie dem Laufen.
Mit den Händen ist das ein bißchen anders. Menschen können mit ihren Händen wesentlich feinere Tätigkeiten verrichten als mit ihren Füßen. Du weißt sicher auch, daß es leichter ist, eine Tasse oder einen Keks mit den Händen aufzuheben als mit den Füßen.
Die feinen Bewegungen kann man am besten mit Daumen und Zeigefinger ausführen. Der Daumen bildet zu den anderen Fingern einen rechten Winkel und kann mit diesen leicht zusammenarbeiten, um etwas aufzunehmen. (Versuche doch mal, etwas aufzuheben, ohne den Daumen zu gebrauchen!) Der Zeigefinger hat seinen eigenen Muskel, damit er sich unabhängig von den anderen bewegen kann, weil er dem Daumen am nächsten liegt und für feinere Tätigkeiten besonders gut

geeignet ist. Die restlichen Finger können sich nicht extra bewegen. Der Ringfinger und der kleine Finger teilen sich einen Muskel. Das heißt z. B., daß du die Innenfläche deiner Hand nicht mit dem kleinen Finger berühren kannst, ohne daß der Ringfinger mitgeht!
Die Funktionsweise der Hand ist etwas, was die Menschen den Tieren voraus haben. Unsere Hand hat sich zu einem ganz besonderen Werkzeug entwickelt, das z. B. einen Koffer hochheben, Klavier spielen oder einen Brief schreiben kann.
Schau dir jetzt mal deine Hände an, und du wirst verstehen, wie ihr Aufbau all das möglich macht. Ein großer Teil der Kraft, die deine Finger bewegt, kommt von Muskeln, die sich oben im Arm befinden. Wackle mit den Fingern und beobachte, wie die langen Sehnen auf deinem Handrücken arbeiten. Diese starken Sehnen machen es den Armmuskeln möglich, die Finger aus der Entfernung zu bewegen. Deshalb können deine Finger gleichzeitig schlank und kräftig sein. Wenn sich die Muskeln in der Hand selbst befinden würden, wäre sie ein ziemlich plumper Körperteil, dem feine Arbeiten recht schwerfallen würden.
Die Hand ist aus vielen verschiedenen Teilen aufgebaut. Sie hat 27 Knochen. Allein das Handgelenk besteht schon aus 8. Die Knochen können sich alle übereinanderschieben und verleihen so der Hand große Flexibilität bei genauen Bewegungsabläufen. Bei so einem Bewegungsablauf wird jeder Finger von der unglaublichen Zahl von 30 Muskeln bewegt!
Die Hände entwickeln sich immer noch weiter. In Tausenden von Jahren werden die Menschen vielleicht in

der Lage sein, alle Finger an jeder Hand völlig unabhängig voneinander zu bewegen. Gegenwärtig jedoch müssen wir uns damit zufriedengeben, daß nur Daumen und Zeigefinger über diese Fähigkeit verfügen.

Lieber Dr. Pete,
warum haben Sie bei einer Veranstaltung für das Guinness-Buch der Rekorde einem riesigen Mann die Füße gemessen?

Dieser Mann hat mit 37 cm Länge die größten Füße der Welt und wollte ins Guinness-Buch der Rekorde kommen. Auch wenn er seine Riesenschuhe nicht anhat, ist Mohammed Alam Channa aus Pakistan mit seinen 2,30 Metern einer der größten Männer der Welt.
Hast du dir deine Füße schon einmal genau angeschaut? Wahrscheinlich nicht, denn sie sind ein oft vernachlässigter Teil des menschlichen Körpers.
Die Wirbelsäule der Menschen hat sich über zigtausend Jahre weiterentwickelt, so daß wir jetzt aufrecht auf unseren Füßen laufen können. Das klingt selbstverständlich, aber andere Tiere – wie Elefanten oder Hunde – können nur für ein paar Sekunden auf ihren Hinterbeinen stehen, und dann fallen sie zurück auf alle

viere. Die Fähigkeit, aufrecht stehen zu können, bedeutet für uns, daß wir in der Lage sind, umherzugehen und gleichzeitig unsere Hände für etwas anderes einzusetzen.
Wir laufen auch nicht wie die meisten Tiere auf den Zehen. Unsere Füße sind lang und breit und müssen das Gewicht des ganzen Körpers tragen. Wir benutzen unsere Füße beinahe wie ein Sprungbrett, von dem wir uns für jeden Schritt abstoßen.
Unsere Zehen unterscheiden sich ebenfalls von denen anderer Tiere. Menschliche Zehen sind kurz und helfen, den Körper im Gleichgewicht zu halten. Affen haben lange, biegsame Zehen zum Greifen. Menschenaffen verfügen über eine große Zehe, die genauso zum Greifen eingesetzt werden kann wie unser Daumen. Wir sind dazu mit unseren Füßen nicht in der Lage.
Unsere große Zehe liegt parallel zu den anderen. Die Muskeln und Knochen der Beine und Füße sind viel kräftiger als ihre Gegenstücke in den Armen. Die frühen Menschen hatten lange, kräftige Arme und ziemlich stämmige Beine. Unsere Vorfahren mußten noch ziemlich viel klettern. Als die Wälder nach und nach verschwanden, waren die frühen Menschen dazu gezwungen, auf der Suche nach Nahrung größere Strecken zurückzulegen. Also wurden die Beine länger und kräftiger. Dies war ein großer Vorteil gegenüber Nachbarn, die kurze Beine hatten. Langbeinige taten sich leichter, vor Feinden zu fliehen oder nach Nahrung zu jagen. Sie waren es also, die überlebten, Kinder bekamen und sich nach und nach zum heutigen Menschen entwickelten. (All das ist Teil von Darwins Evolutionstheorie.)

Wissenswertes über deine Füße:

1. 25 % der Knochen im Körper eines Erwachsenen befinden sich in den Füßen. Jeder Fuß hat 26 Knochen.
2. Die Achillessehne hinten am Fuß ist die größte im ganzen Körper. Du brauchst sie, wenn du dich auf deine Zehenspitzen stellst.
3. Im Laufe deines Lebens legst du ungefähr 75 000 Kilometer zu Fuß zurück.
4. Die Haut ist an der Fußsohle am dicksten.
5. Bei allen Menschen wachsen Pilze auf den Füßen. Wenn sie außer Kontrolle geraten, nennt man das Fußpilz.
6. Die rechten Schuhe sind meist schneller abgelaufen als die linken. Niemand weiß, warum.
7. In ein paar Millionen Jahren – falls es dann immer noch Menschen gibt – wird wahrscheinlich die kleine Zehe verschwunden sein.
8. Affen haben Plattfüße.
9. Auch Schlangen und Wale haben Füße. Sie sind nicht sichtbar, aber wie bei allen Wirbeltieren vorhanden.
10. Sehr kleine Kinder können Zehennägel kauen.

Lieber Dr. Pete,
wußten Sie, daß der rechte Ellbogen die einzige Stelle ist, die man nicht mit der rechten Hand berühren kann?

Ja, das wußte ich. Obwohl du auch das rechte Handgelenk und den größten Teil des rechten Unterarms mit einbeziehen solltest – außer natürlich, wenn du überaus biegsame Gelenke hast! Es gibt eine Krankheit (Ehlers-Danlos-Syndrom genannt), bei der die Gelenke unglaublich biegsam sind. Einige dieser gelenkigen Leute arbeiten im Zirkus als Schlangenmenschen.
Wußtest du, daß es noch andere Sachen gibt, die kein Mensch kann – z.B. summen, wenn man die Nase zuhält, oder sprechen, wenn man gerade einatmet, oder bei offenen Augen niesen. Kennst du noch mehr?

Lieber Dr. Pete,
kann man sein Lächeln verändern? Ich lächle wie mein Bruder, würde aber lieber wie ein Fernsehmoderator lächeln.

Die Art, wie die Gesichtsmuskeln bewegt werden, ist vererbt. Deshalb lächeln Kinder oft wie ihre Eltern und Geschwister.
Wir lächeln, um zu zeigen, daß wir zufrieden sind oder uns amüsieren. Babys lächeln zum ersten Mal im Alter von ungefähr sechs Wochen. Möglicherweise lernen sie von ihren Müttern, wie man das macht. Ein Baby, auch wenn es gerade erst einen Monat alt ist, sieht, daß die Mutter lächelt, wenn sie etwas gut findet oder wenn sie glücklich ist.
Es ist sehr schwierig, sein Lächeln zu ändern und trotzdem natürlich zu wirken. Ein gezwungenes Lächeln sieht schrecklich aus.
Lächeln ist ein sehr komplizierter Vorgang. Welche Art des Lächelns du zeigst, hängt von deiner Stimmung ab. Wenn du auf einer Party entspannt und glücklich bist, lächelst du anders, als wenn du nervös und verkrampft vor dich hingrinst, weil du glaubst, von dir würde ein Lächeln erwartet.
Wie sieht also dein Lächeln aus? Bei jedem Menschen sind die Muskeln etwas anders angeordnet. Trotzdem gibt es drei Grundtypen des Lächelns.
Erster Typ: Das geheimnisvolle Mona-Lisa-Lächeln. Darüber ist schon viel geschrieben worden. Die Mundwinkel werden von einem Muskel, dessen Name fast länger ist als er selbst, hoch und nach außen gezogen.

Dieses Lächeln dauert zwischen zwei und vier Sekunden. Oft wird behauptet, dies sei das echteste Lächeln, weil daran die Muskeln um die Augen beteiligt sind – sie „lächeln“ auch, – und das kann man nicht so leicht vortäuschen.
Zweiter Typ: Kaninchen- oder Hundelächeln. Die Hauptbewegung besteht im Anheben der Oberlippe. Das wird oft als „falsches“ Lächeln bezeichnet. Die Augen werden dabei nicht mit einbezogen. Nervöse Menschen oder solche, die an der Haustür Lexika verkaufen wollen, neigen zu dieser Art des Lächelns.
Dritter Typ: Hier zeigt man beim Lächeln sein ganzes Gebiß. Beide Zahnreihen werden zur Schau gestellt, wenn die Muskeln zusammen die Lippen von den Zähnen weg und die Mundwinkel nach außen ziehen. Dieses Lächeln ist am besten geeignet, wenn du für Zahnpasta Werbung machen oder als Fernsehmoderator auftreten willst.
Schau mal ein Bild von dir an, auf dem du lächelst. Die meisten Menschen haben eine Mischung aus den drei oben beschriebenen Lächeln. Zu welchem Typ gehörst du? Auch wenn du nicht dazu geboren bist, deinen Lebensunterhalt mit Zahnpasta-Werbung im Fernsehen zu verdienen, denke immer daran, daß man zum Stirnrunzeln 43 Muskeln braucht und zum Lächeln nur 16. Spar also Energie und lächle!

5 *Fragen und Antworten zu Magen und Darm*

Lieber Dr. Pete,
vor kurzem wurde mir der Blinddarm herausgenommen. Warum darf man vor einer Operation nichts essen?

Du darfst vor einer Operation, für die du eine Narkose zur Betäubung bekommst, nichts essen, weil die Ärzte wollen, daß dein Magen leer ist. Sonst könnte der Mageninhalt während der Operation in die Lungen gelangen. Nahrungsreste in den Lungen können zu ernsthaften Infektionen (Lungenentzündung) führen. Aber du mußt ja nur ein paar Stunden ohne Nahrung auskommen!

Lieber Dr. Pete,
warum verdaut sich der Magen nicht selbst?

Deine Frage ist sehr gut, denn schließlich ißt der Mensch ja auch Tiermägen, und die verdaut er ausgezeichnet.
Der Magen des Menschen schützt sich selbst mit einer dicken Schleimschicht vor dem Verdautwerden. Wenn im Magenschleim ein Loch entsteht, frißt sich die Magensäure durch die Magenwand. Dies bezeichnet man dann als Magengeschwür.

Lieber Dr. Pete,
warum beißt man sich beim Essen nicht ständig auf die Zunge?

Die Zunge ist ein Muskel, und ihre Aufgabe besteht darin, Nahrung zu schmecken, sie beim Kauen im Mund herumzubewegen und, zusammen mit den Lippen, bestimmte Laute zu formen.
Das Gehirn kontrolliert komplizierte Vorgänge wie das Kauen von Nahrungsmitteln oder das Sprechen ganz ausgezeichnet. Du kannst beides sogar mehr oder weniger gleichzeitig machen, wenn du willst. Dabei besteht allerdings die Gefahr, daß dir ein Teil des Essens aus dem Mund fällt, und deswegen gilt es als unhöflich, mit vollem Mund zu sprechen. Außerdem verschluckt man sich leicht.
Jedenfalls schafft es das Gehirn, all diese Aktionen zu koordinieren, und die Zunge bleibt den Zähnen fern!

Lieber Dr. Pete,
meine kleine Schwester hat einen Kaugummi hinuntergeschluckt. Ist das schlimm? Kann er am Herzen kleben bleiben?

Bei Kaugummi handelt es sich heute um eine künstlich hergestellte, zähe Gummimasse, die keinen Nährwert hat. Tatsächlich ist der Kaugummi ein Nebenprodukt der Petroleumherstellung, das mit Zucker und ein oder zwei anderen Dingen geschmacklich aufgepeppt wird. Vor vielen Jahren wurde Kaugummi aus einer natürlichen Gummimasse hergestellt, die man aus Gummibäumen gewann, die aus Südamerika stammten.
Wenn man ein Stück Kaugummi hinunterschluckt, wandert es in den Magen. Dies ist der geräumigste Teil des Verdauungstrakts, und dort gibt es überhaupt keine Probleme. Die folgenden paar Meter des Dünndarms sind recht eng, und wenn sich der Kaugummi dort mit Nahrung vermischt, besteht eine ganz geringe Gefahr, daß er steckenbleibt und das ganze Verdauungssystem verstopft.
Das Problem besteht nicht darin, daß der Kaugummi klebrig ist – Marmelade ist ja auch klebrig und macht keine Schwierigkeiten –, sondern vielmehr darin, daß er ein unverdaulicher Klumpen bleibt, den die Verdauungssäfte nicht auflösen können. Wenn irgend etwas steckenbleibt, geschieht das in der Regel genau am Ende des engen Dünndarmabschnitts. Das ist der Punkt nahe dem Blinddarm, an dem der Dünndarm in den Dickdarm (auch Enddarm genannt) übergeht.
Ich habe noch nie erlebt, daß ein Kaugummi größere

Schwierigkeiten gemacht hätte. Aber es kamen schon Patienten zu mir, deren Verdauungstrakt durch Orangenstücke, Rosenkohl oder getrocknete Früchte verstopft war, die sie unzerkaut hinuntergeschluckt hatten. Wir sollten also die Nahrung gut kauen, bevor wir sie hinunterschlucken. Man braucht sich jedoch keine Sorgen zu machen, da fast alles, was du hinunterschluckst, einfach durch dich hindurchwandern wird.

Es stimmt also nicht, daß ein Kaugummi an deinem Herzen kleben bleibt, wenn du ihn hinunterschluckst. Diese seltsame Theorie kam wahrscheinlich auf, weil man herausfand, daß die Speiseröhre, durch die die gesamte Nahrung aus dem Mund in den Magen hinunterwandert, nahe am Herzen vorbeiläuft. Wenn du also heute dein Brot hinunterschluckst, wird es wenige Zentimeter hinter deinem Herzen vorbeikommen. Du brauchst jedoch nicht zu befürchten, daß Nahrung an dieser Stelle steckenbleibt. Die Speiseröhre *(Oesophagus)* ist der muskulöseste Teil des Verdauungstrakts und wird die Nahrung sicher an dieser Stelle vorbeidrücken.

Lieber Dr. Pete,
warum sind unsere Ausscheidungen entweder braun oder gelb?

Der Ursprung der braunen oder gelben Farbe liegt in den Blutkörperchen. Blut hat seine rote Farbe von dem Pigment Hämoglobin, einer Substanz, die in den roten Blutkörperchen enthalten ist. Hämoglobin transportiert im Blut den Sauerstoff. Vereinfacht gesagt besteht es aus Eisen *(Haem)* und einem Protein *(Globin)*. Das Eisen wird aus der Nahrung gewonnen und das Protein im Körper produziert.
Es findet ein kontinuierlicher Austausch von roten Blutkörperchen statt. Jede Zelle hat eine Lebensdauer von ungefähr vier Monaten. Das mag einem lang vorkommen, aber es gibt so viele rote Blutkörperchen, daß in jeder Sekunde ungefähr zwei Millionen davon hergestellt werden müssen, um die verlorenen zu ersetzen. Bei Kindern ist es etwa eine Million, weil ihr Körper kleiner ist und weniger Blut enthält.
Bei diesem Prozeß entsteht eine Menge Abfall, den der Körper wieder loswerden muß. Ganz im Gegensatz zum Hausmüll, der einmal in der Woche abtransportiert wird, fällt der Abfall von den alten, kaputten roten Blutkörperchen dauernd an. Er wird als Galle ausgeschieden.
Galle ist grün, wird von der Leber produziert und in deren Nähe in einem kleinen Behälter namens Gallenblase aufbewahrt. Die Gallenblase hat eine Zuleitung zum Verdauungskanal. Dadurch kann die grüne Galle in den Darm und dann ganz langsam mit den Überre-

sten der Nahrungssubstanzen in die Toilette wandern. Das dauert ungefähr ein bis zwei Tage.
Wenn die Galle ihre Reise in der Leber antritt, hat sie eine grüne Farbe. Bei der Reise die Gedärme hinunter kommt es zu chemischen Reaktionen, und die Pigmente ändern sich in eine gelbe und dann in eine mehr braune Farbe. Wenn die Reise schnell vor sich geht – wie beim Durchfall oder wenn der Darm kurz ist –, ist wenig Zeit für diese Umwandlung. Deshalb hat Durchfall normalerweise eine gelbe Farbe.
Die Nahrung passiert den Darmtrakt eines Babys sehr viel schneller als den eines Erwachsenen; das kann sogar so schnell gehen, daß der Durchfall grün aussieht. Frag doch mal deine Mutter, ob es bei dir so war.

Lieber Dr. Pete,
soll man jemanden, der Gift eingenommen hat, zum Erbrechen bringen?

Nein. Hole schnell Hilfe herbei. Versuche für den Arzt herauszufinden, um welche Art von Gift es sich handelt und wann und wieviel davon in den Körper gelangt ist. Der Arzt bringt den Patienten möglicherweise zum Erbrechen, damit das Gift hochkommt, aber das wird nicht immer so gemacht. Gifte wie Paraffin und Benzin läßt man am besten im Magen, wo sie verdünnt werden. Wenn sie „hochkommen“, könnten sie die Speiseröhre verätzen oder in die Lungen gelangen und dort noch mehr Schaden anrichten.

Lieber Dr. Pete,
ist es wahr, daß die Magensäure des Menschen ein Loch in ein Taschentuch fressen kann?

Die Antwort lautet: ja. Auf der pH-Skala von 0 bis 14, mit der der Säuregehalt gemessen wird, ist 0 sehr sauer und 14 sehr alkalisch. Der Wert 7 ist neutral. Die Salzsäure in deinem Magen kann einen so niedrigen pH-Wert wie 1 haben. Sie ist damit durchaus in der Lage, ein Loch in ein Baumwolltaschentuch zu fressen, wenn sich z. B. jemand in das Taschentuch übergibt und die Säure nicht ausgewaschen wird.
Das Innere des Magens ist der säurehaltigste Teil des Körpers. Die Magenwand schützt sich vor der zersetzenden Eigenschaft der Säure mit einem speziellen Schleim, mit dem der Magen ausgekleidet ist. Wenn dieser Schleim die Magenwand nicht schützt, kann sich ein Magengeschwür bilden. Wenn die Säure nach oben in die Speiseröhre gelangt, in der keine schützende Schleimschicht vorhanden ist, treten Beschwerden wie Sodbrennen auf.

Lieber Dr. Pete,
wie geht man in der Antarktis auf die Toilette, wo es doch dort so kalt ist und alles gefriert? Ich möchte nämlich Forscher werden!

Ich war bisher zweimal in der Antarktis, aber im milden antarktischen Sommer. Das ist um Weihnachten. Wir hatten es warm auf unserem Schiff „Discovery“ und niemals Probleme damit, auf die Toilette zu gehen.
Im antarktischen Winter, wenn die Temperatur zuweilen bis auf −60 °C absinkt, kann es jedoch schwierig werden. Wenn es sehr kalt ist, kannst du nicht einfach im Freien Wasser lassen. Wenn man bei großer Kälte einen Behälter mit Wasser in die Luft wirft, gefriert das Wasser zu Eis, bevor der Behälter wieder auf den Boden auftrifft. Man muß also eine geschützte Toilette finden. Dies kann in einem der antarktischen Basiscamps oder einfach nur in einem Zelt sein.
Genauso muß man sich vor dem Wetter schützen, wenn man seinen Stuhlgang verrichtet. Du kannst nicht einfach draußen in die Hocke gehen! Du mußt dabei bedenken, daß deine Ausscheidungen ungefähr 200 Milliliter Wasser enthalten. Das könnte sofort gefrieren und eine sehr unangenehme Art der Verstopfung hervorrufen.

Lieber Dr. Pete,
ich habe gehört, daß man sterben kann, wenn man Lakritze ißt. Ist das wahr?

Das stimmt, wenn du große Mengen davon verzehrst. Lakritze kann im Körper zu einem gefährlichen Kaliummangel führen.
Ich weiß zwar nicht, ob die Geschichte wahr ist, aber ich habe einmal von einem Schiff gelesen, das gestrandet war. Das Schiff hatte Lakritze geladen. Leute aus der Umgebung plünderten es und starben kurz darauf, weil sie zuviel davon gegessen hatten.
Lakritze wird aus dem eingedickten Saft der Wurzel des Süßholzstrauchs hergestellt. Man gewinnt daraus eine schwarze Paste, die man für Süßigkeiten oder Heilmittel verwenden kann. Lakritze enthält zwei Wirkstoffe, die zur Heilung von Magengeschwüren geeignet sind.
Dies zeigt wieder, daß viele Dinge giftig sein können, wenn man zuviel davon zu sich nimmt. Wenn man sie maßvoll anwendet, können sie aber heilen. Diese Erkenntnis stammt nicht von mir, sondern von einem aus der Schweiz stammenden Arzt namens Paracelsus, der um 1500 gelebt hat.

Lieber Dr. Pete,
ich habe gelesen, daß eine Blaskapelle nicht mehr spielen kann, wenn im Publikum jemand an einer Zitrone lutscht. Stimmt das?

Wenn dieser Trick funktioniert, dann nur bei großen Blasinstrumenten. Um ein Blech- oder Holzblasinstrument zu spielen, braucht man einen normalen und gleichmäßigen Speichelfluß im Mund. Wenn ein Trompeter sieht, wie du eine Zitrone lutschst, kann ihm „das Wasser im Mund zusammenlaufen". Vielleicht verspürst du ja selbst verstärkten Speichelfluß, wenn du das hier liest und an Zitronensaft denkst. Dieser regt die sechs Speicheldrüsen an, die im Mund verteilt sind (zwei Unterkieferspeicheldrüsen, zwei Ohrspeicheldrüsen und zwei unter der Zunge).
Nachdem all der Speichel in den Mund gelangt ist – allein das würde das Spielen eines Blasinstruments schon schwierig machen –, hört der normale, regelmäßige Speichelfluß für kurze Zeit auf, während die Speicheldrüsen Nachschub produzieren. Und es ist auch sehr schwierig, Instrumente wie eine Trompete oder ein Horn mit trockenem Mund zu spielen.

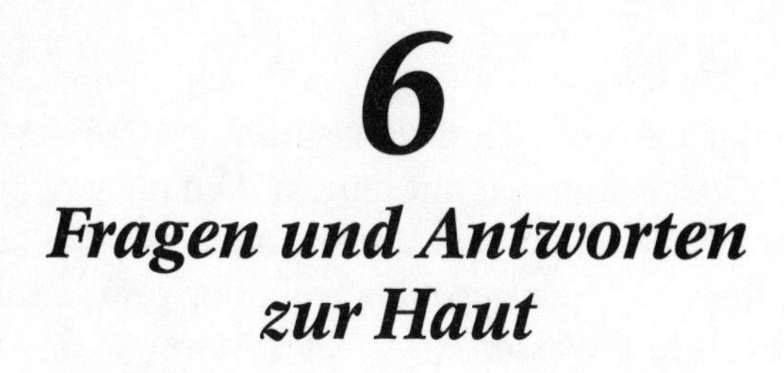

6
Fragen und Antworten zur Haut

Lieber Dr. Pete,
können Haare über Nacht wirklich weiß werden?

Im nepalesischen Dschungel traf ich einmal einen Mann, der mir von seiner Begegnung mit einem Tiger erzählte. Der Mann war mit seinem Vieh in der Dämmerung am Fluß entlanggewandert, als er sich plötzlich einem riesigen Tiger gegenübersah, der gerade in aller Ruhe am Fluß Wasser trank. Der Mann wurde zwar nicht angegriffen, aber ungefähr eine halbe Stunde lang stand er Todesängste aus.
Der Mann kam zu mir, weil sein Haare über Nacht weiß geworden waren. Er wollte wissen, ob man irgend etwas dagegen tun könnte. Der Medizinmann und Dorfheiler hatte ihm gesagt, daß es dagegen kein Mittel gäbe.
Es gibt viele Geschichten darüber, daß Haare wegen eines Schocks über Nacht weiß geworden sind. Trotzdem geht das nicht. Haare sind – wie Fingernägel – ein totes Gewebe, das sich nicht mehr verändern kann.
Wahrscheinlich fallen jemandem, der große Angst hat, alle längeren dunklen Haare aus. Nur die helleren, dünneren Haare, die man normalerweise gar nicht sieht, bleiben zurück. Es sieht dann so aus, als ob der Betroffene über Nacht „weiß" geworden wäre.
Normalerweise passiert das „Weißwerden" erst etwa drei Monate nach dem Schock, und der Vorgang dauert ungefähr eine Woche. So fand denn auch die Begegnung des Dorfbewohners mit dem Tiger ungefähr drei Monate vor meiner Ankunft in dem abgelegenen Ort statt.
In den Geschichtsbüchern findet man noch andere der-

artige Fälle. Das Haar von Thomas Morus wurde in der Nacht vor seiner Hinrichtung im Jahre 1535 weiß.
Ein Mann, der in einer französischen Strafkolonie auf der Teufelsinsel gefangen war, sollte bald geköpft werden. Mehrere Gefangene waren für die Guillotine bestimmt, und so wurde auch er eines Tages in der Morgendämmerung gefesselt und nach draußen zum Hinrichtungsplatz gebracht. Genau in dem Moment, in dem schon das Beil auf ihn herabfallen sollte, fiel dem Gefängniswärter auf, daß man die falsche Person für die Exekution vorgeführt hatte. Der Mann wurde losgebunden und in seine Zelle zurückgebracht. Obwohl er später als Entschädigung begnadigt wurde, wurde sein Haar angeblich über Nacht weiß, und er sprach nie mehr ein Wort.

Lieber Dr. Pete,
warum kann man bei Leuten mit Hautausschlägen folgendes beobachten:
a) Sie haben dauernd Gänsehaut.
b) Ihre Hände färben sich im kalten Wasser bläulich.
c) Wenn sie mit den Fingernägeln über die Stirn fahren, bleiben die Spuren für einige Zeit sichtbar.

Ausschläge *(Ekzeme)* sind juckende, trockene, rote und schuppige Hautentzündungen. Sie hängen oft mit Allergien zusammen. Aber nicht alle Leute, die Ausschläge haben, leiden gleichzeitig unter all den Dingen, die du beschreibst. Aber hier sind die Antworten auf deine Fragen:

a) Die „echte“ Gänsehaut wird durch sehr kleine Muskeln an den Haarwurzeln auf deinem Körper verursacht. Diese Muskeln können die Haare als Reaktion auf Kälte oder Angst aufstellen. Tiere können diese Muskeln dazu verwenden, um bei Kälte ihr Fell aufzustellen oder ihre Federn aufzuplustern. Diese „aufgeplusterten“ Haare oder Federn schließen Luft um den Körper herum ein und sorgen dafür, daß er warm bleibt. Bei Menschen zeigt die Gänsehaut nicht viel Wirkung, weil wir sehr wenig Körperbehaarung haben; trotzdem ist uns dieses Verhalten von unseren behaarteren Vorfahren vererbt worden.
Es besteht kein Zusammenhang zwischen dieser echten Gänsehaut und Hautausschlägen. Die trockene Haut bei Ekzemen kann sich aber rauh und gänsehautartig anfühlen, weil die Haarfollikel – die kleinen Löcher, aus

denen die Haare hervorwachsen – mit Keratin, der natürlichen Substanz, aus der die Körperbehaarung besteht, verstopft werden. Das ist es wahrscheinlich, was du fühlst.

b) Einige Menschen mit Ekzemen reagieren empfindlich, wenn sich die Durchblutung der Haut verändert. Besonders die Blutgefäße, die zur Haut der Hände und Füße führen, können sehr eng werden. Dies hat zur Folge, daß Blut sich länger in der Haut ansammelt als notwendig. Dieses Blut ist meist mehr blau als rot, weil es schon viel Sauerstoff verloren hat. Deshalb sieht die Haut blau aus.

c) Auch deine letzte Frage über die Spuren, die deine Fingernägel auf deiner Stirn hinterlassen, ist sehr interessant. Es besteht eine Verbindung zwischen Hautausschlägen und einer Krankheit mit dem Namen *Dermographismus albus*. Dort bleiben für eine ganze Weile weiße Spuren sichtbar, nachdem die Haut leicht gekratzt wurde. Wenn die Spuren rot sind, ist das ganz normal.

Lieber Dr. Pete,
ich habe sehr viele Sommersprossen auf der Nase und möchte etwas dagegen tun. Wenn ich auf die Nase fiele, so daß die Haut verletzt würde, würde sie dann beim Abheilen mit oder ohne Sommersprossen nachwachsen?

Die Haut besteht aus zwei Schichten, die *Dermis* und *Epidermis* genannt werden. Zwischen diesen Lagen befindet sich – wie die Füllung in einem Biskuitkuchen – eine Zellschicht, die dauernd die Zellen für die äußere *Epidermis* bildet. Die tiefere Hautschicht *(Dermis)* enthält Blutgefäße, Haarwurzeln, Schweißdrüsen und Nervenenden.
Die Hautfarbe wird von Pigmenten festgelegt, die sich in der äußeren Schicht der Haut befinden. *Melanin* ist braunschwarz und der bekannteste Hautfarbstoff *(Pigment)*. Es wird von *Melanozyten* genannten Zellen in der oberen Hautschicht produziert. *Carotin* ist das andere, rotorange Hautpigment. Die rosa Farbe der Haut kommt von Blutkörperchen in der Haut, nicht von Pigmenten.
Sommersprossen sind kleine braune Flecken in der Haut, von denen es zwei Arten gibt. Eine Sommersprossenart ist eine Ansammlung von Pigmenten in der äußeren Hautschicht. Diese Sommersprossen kommen meistens zum Vorschein, wenn die Haut dem Sonnenlicht ausgesetzt wird.
Die zweite Sommersprossenart stellt eine Ansammlung von Zellen dar, die Melanin produzieren. Diese sind immer vorhanden und verblassen nicht. Sommerspros-

sen treten bei hellhäutigen Menschen häufiger auf und sind besonders verbreitet unter den Rothaarigen.
Da manche Sommersprossen nur im Sonnenlicht herauskommen, kannst du eine Sonnenschutzcreme verwenden, wenn du sie nicht magst. Viele Leute finden sie sehr attraktiv. Jeder, der seine Sommersprossen nicht mag, muß sie auf irgendeine Weise verdecken, weil man sie nicht loswerden kann.
Wenn bei einer Schürfwunde die obere Hautschicht abgerieben wurde (schmerzhaft!), zerstört das die Melanin produzierenden Zellen, und die Haut wird nach dem Abheilen blaß aussehen. Doch die Melaninzellen tauchen wieder auf, und auch die Sommersprossen kehren allmählich zurück. Tiefere Schürfwunden – die die Dermis-Schicht der Haut verletzen – können Narben verursachen und sind kein empfehlenswertes Mittel, um Sommersprossen loszuwerden.

Lieber Dr. Pete,
wir haben einen Lehrer mit großen, schwarzen, buschigen Augenbrauen. Welchen Zweck haben Augenbrauen eigentlich?

Dein Lehrer ist ein Säugetier. Säugetiere ziehen ihre Jungen mit Muttermilch groß und haben Körperbehaarung. Bei den meisten der 4 000 verschiedenen Säugetierarten erweist sich das Haarkleid als sehr nützlich, um den Körper warm zu halten. Menschen und ein paar andere Säuger haben dieses Haarkleid verloren, weil sie es nicht mehr brauchen. Wir haben uns zu Tieren entwickelt, die Kleidung tragen und Häuser bauen. Trotzdem gibt es am Körper immer noch Stellen, an denen Haare wachsen. Das offensichtlichste Beispiel dafür sind die Haare auf dem Kopf, aber feine Härchen sind über den ganzen Körper verteilt. Die Ausnahme bilden die Handflächen und die Fußsohlen.
Das Geschlecht einer Person bestimmt bei Erwachsenen die Art der Körperbehaarung. Männer sind im allgemeinen stärker behaart als Frauen. Das liegt an den Geschlechtshormonen, die den Haarwuchs bestimmen. Eine Theorie über die unterschiedliche Behaarung von Frauen und Männern besagt, daß sie das Erkennen aus der Entfernung erleichtert. Ein Bart beispielsweise deutet auf einen Mann hin.
Die Behaarung an einigen Stellen erfüllt einen besonderen Zweck. Die feinen Härchen im Ohr und in der Nase schützen vor Staub, Schmutz und Insekten. Die Augenwimpern schützen die Augen auf ähnliche Weise. Die Augenbrauen deines Lehrers verhindern, daß ihm

an einem heißen Tag oder in einer stressigen Unterrichtsstunde der Schweiß zu schnell von der Stirn in die Augen rinnt. Da Schweiß Salz enthält, würde das ganz schön brennen.

Lieber Dr. Pete,
Sie sagen, daß Säugetiere behaart sind. Ich habe noch nie einen behaarten Wal gesehen!

Ich habe gesagt, daß manche Säugetiere ihr Haarkleid verloren haben, weil es für ihre Lebensweise, die sie entwickelt haben, nicht mehr notwendig ist. Wenn du mit einem Mikroskop unter die Haut eines Wals schaust, kannst du die Stellen erkennen, an denen früher mal Haare gewachsen sind.

Lieber Dr. Pete,
woher kommt das Ohrenschmalz?

Das Ohrenschmalz wird von Zellen produziert, die den Gehörgang säumen. Das ist die Verbindung zwischen der Außenwelt und dem Trommelfell. Ein Klang gelangt über diesen Weg zum Gehirn. Der Gehörgang ist der Teil, in den du deinen kleinen Finger nur halb hineinstecken kannst.
Das Ohrenschmalz wird gebildet, um die Wände des Gehörgangs zu schützen. Staub, Schmutz und andere seltsame Dinge bleiben darin hängen und werden dann von den winzigen Härchen an der Oberfläche des Gehörgangs nach außen zur Ohrmuschel transportiert.
Manchmal bildet das Schmalz einen großen Pfropfen, der wie ein Felsblock vor einer Höhle den Eingang versperrt. Dann kannst du nicht mehr so gut hören, aber der Arzt kann den Pfropfen leicht wieder entfernen.
Das beste ist, wenn du deine Ohren in Ruhe läßt, so daß das Schmalz von selbst herauskommen kann. Nadeln, Wattestäbchen und die Ecken von Handtüchern können viel größeren Schaden verursachen als das Ohrenschmalz. Eine gute Regel besagt: Stecke niemals etwas Kleineres als den Ellbogen in dein Ohr.

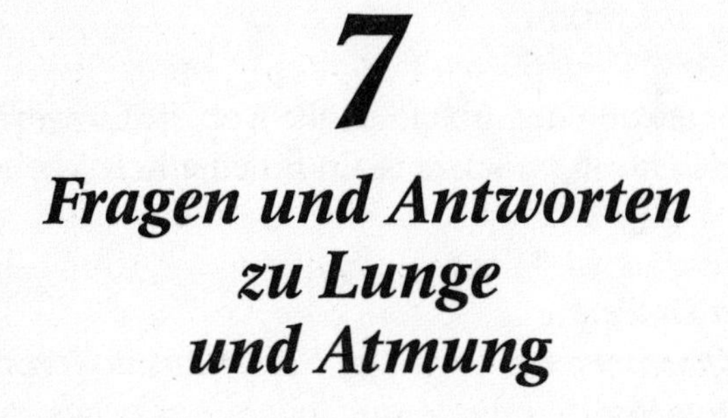

7
Fragen und Antworten zu Lunge und Atmung

Lieber Dr. Pete,
warum klopft der Arzt den Brustkorb ab, wenn er die Lunge untersucht?

Der Arzt kann dadurch feststellen, ob die Lunge Wasser enthält. Das wäre ein Zeichen für eine Krankheit.

Lieber Dr. Pete,
warum gähnen wir? Will der Körper uns dadurch mitteilen, daß wir müde sind, oder ist es etwas anderes?

Beim Gähnen handelt es sich im Grunde um ein tiefes Einatmen. Es ist eine Reflexhandlung, d. h. es passiert automatisch, ohne daß du darüber nachdenken mußt. Auch Babys und Tiere gähnen.
Der Zweck des Gähnens scheint darin zu bestehen, mehr Sauerstoff in die Lungen zu bekommen. Der Körper hat beschlossen, daß du neuen Schwung brauchst – vielleicht weil du müde bist. Wenn du das Interesse an einer Sache verlierst – etwa in einer langweiligen Schulstunde –, atmest du nicht mehr so tief und wirkungsvoll. Der schlaue Reflex kann das wieder in Ordnung bringen.
Aber warum ist das Gähnen ansteckend? Wenn eine Person in einer Gruppe gähnt, fangen bald darauf die anderen auch damit an. Ein solches Phänomen wurde bei Tieren noch nicht beobachtet, und die schlüssigste Erklärung ist, daß man durch Gähnen anderen Leuten in der Nähe mitteilt, daß man müde ist. Dieses unaus-

gesprochene Signal könnte ein Versuch der Natur sein, den Wach-Schlaf-Rhythmus innerhalb einer Gruppe von Leuten aufeinander abzustimmen. Das wäre für unsere Vorfahren nützlich gewesen. Sie verständigten sich noch nicht mit einer Sprache im heutigen Sinne, und wenn man zusammen in einer Unterkunft, wie z. B. einer Höhle, lebte, wäre es störend gewesen, wenn einige Leute versucht hätten zu schlafen, während andere beim Essen waren oder zur Jagd aufbrachen. Das ist ein interessanter Gedanke, auch wenn es keinen eindeutigen Beweis dafür gibt.

Lieber Dr. Pete,
was sind das für grüne Dinger, die sich in der Nase ansammeln?

Die Popel sind eine Mischung aus Staub, der aus der eingeatmeten Luft stammt, einem von der Nase abgesonderten Schleim und den Tierchen, die in deinen Nasenflügeln leben. Diese Tierchen – Bakterien – können dem Endprodukt eine grüne Farbe verleihen. Diese Mischung trocknet und verhärtet in der Luft, die durch die Nase strömt.

Lieber Dr. Pete,
warum kann man nicht summen, wenn man sich die Nase zuhält?

Ein Summen ist ein tiefer Ton, der von den Stimmbändern erzeugt wird. Der Ton erhält seinen charakteristischen Klang, wenn die Nebenhöhlen *(Sinus)* in Schwingungen versetzt werden. Du summst, indem du durch die Nase ausatmest und den Mund geschlossen hältst. Wenn du dir die Nase zuhältst, hört der Summton sehr schnell auf, weil die Luft nicht mehr herauskann. Wenn du zu summen anfängst und den Mund öffnest, verändert sich der Ton. Probiere es aus. Das ist dann aber nicht mehr der ursprüngliche tiefe Summton.
Die Nebenhöhlen sind Hohlräume im Schädel, und zwar Ausläufer des Nasenraums. Die größten sind die beiden Oberkieferhöhlen *(Sinus maxillaris)*, die wie eine Höhle aussehen und den größten Teil des Raums zwischen den Wurzeln der oberen Zahnreihe und dem Boden der Augenhöhlen einnehmen. Diese Höhlen stellen für die Stimme einen Resonanzkörper dar, genau wie der Holzkasten einer Violine für deren Saiten. Sie verringern außerdem das Gewicht des Schädels, mit dem man, wenn er aus massivem Knochen wäre, schwer leben könnte.

Lieber Dr. Pete,
warum bekommt man einen Schluckauf, und was kann man dagegen tun?

Beim Schluckauf handelt es sich im Grunde um ein schnelles Einatmen. Die Luft wird von dem flachen Muskel unter den Lungen, dem Zwerchfell, in die Lungen gezogen. Im Gegensatz zum normalen Atmen, bei dem dieser Vorgang langsam stattfindet, „zuckt" das Zwerchfell beim Schluckauf und saugt die Luft schnell ein. Wenn das geschieht, schnappt der Kehlkopf, der Zugang zu den Lungen im hinteren Rachen, zu. Auf diese Weise entsteht das Schluckauf-Geräusch. Danach öffnet sich der Kehlkopf, und die Luft wird ausgeatmet.
Der Schluckauf kann verschiedene Ursachen haben. Alles, was das Zwerchfell reizt, kann Schluckauf auslösen, z. B. wenn man ein sprudelndes Getränk zu sich nimmt und anschließend herumrennt. Die Kohlensäure im Getränk bläst den Magen wie einen Ballon auf und drückt ihn gegen das Zwerchfell.
Auch im Gehirn scheint es ein Schluckaufzentrum zu geben, und der „Befehl" für den Schluckauf kommt möglicherweise von dort.
„Heilmittel" gegen Schluckauf gibt es viele. Sie reichen von Luftanhalten bis zum Erschrecken durch lautes Schreien. Das soll den Atemrhythmus anhalten. Weitere Methoden sind: kaltes Wasser den Rücken hinunterlaufen zu lassen, mit einem kalten Löffel den Rücken hinabzustreichen (wird normalerweise dem kalten Wasser vorgezogen) und Wasser zu trinken.
Kürzlich hat ein Arzt in einer medizinischen Fachzeit-

schrift geschrieben, daß Schluckauf gestoppt werden könnte, wenn das Opfer für ungefähr 20 Sekunden seine Finger in die Ohren steckt. Das funktioniere immer, behauptet er. Der Gedanke dahinter ist, daß die Finger Nerven anregen, die das Schluckaufgefühl ans Gehirn weitergeben. Ein sicheres Mittel gibt es nicht. Und in den meisten Fällen hat Schluckauf keine ernste Ursache und verschwindet wieder.

8 Fragen und Antworten zu Herz, Blut und Kreislauf

Lieber Dr. Pete,
mein Papa geht in ein Fitneßcenter, und sie messen dort seinen Puls, indem sie ihm etwas ans Ohrläppchen klemmen. Ich wußte nicht, daß das Ohrläppchen einen Puls hat.

Du kannst den Puls am Ohrläppchen nicht fühlen, aber moderne elektronische Sensoren sind dazu in der Lage.
Ein Puls ist das „Klopfen", das man fühlt, wenn Blut vom Herzen durch die Schlagadern *(Arterien)* des Blutkreislaufs gepumpt wird.
Ärzte und Leute, die Erste Hilfe leisten, fühlen den Puls normalerweise am Handgelenk oder am Hals. Die Arterie im Hals ist ungefähr so dick wie ein Finger und die am Handgelenk hat etwa den Durchmesser eines Bleistifts. Deshalb kann man dort das „Klopfen" beim Durchströmen des Bluts leicht mit dem Finger fühlen, wenn man ihn auf die richtige Stelle legt.
Im ausgeruhten Zustand hat man einen durchschnittlichen Puls von etwa 70 Schlägen in der Minute.
Ohrläppchen haben viele kleine Äderchen. Dort kannst du keinen Puls fühlen. Aber ein empfindliches elektronisches Gerät kann dort jeden Herzschlag messen.

Fitneßbegeisterte behalten ihre Pulsfrequenz aus zweierlei Gründen sorgsam im Auge:
1. Um ihre Fitneß zu überwachen. Die Pulsfrequenz einer ausgeruhten durchtrainierten Person ist in der Regel niedrig und normalisiert sich nach einer Übung schnell wieder.

2. Um das Herz vor Überanstrengung zu bewahren. Um sicherzugehen, sollte die Pulsfrequenz einen bestimmten Wert nicht überschreiten. Dieser variiert etwas, je nach Alter. Wenn du um die 15 Jahre alt bist, sollte er nicht höher gehen als 170 Schläge pro Minute. Das entspricht einem 85%igen Anstieg gegenüber dem Puls im Ruhezustand.
Du brauchst dir beim Trainieren nicht allzu viele Gedanken über deine Pulsfrequenz machen, wenn du jung und gesund bist. Der Körper kann gut auf sich selbst aufpassen.
Eine schnelle Methode, den Puls zu messen, ist, die Schläge sechs Sekunden lang zu zählen und dann an das Ergebnis eine Null anzuhängen. So erhältst du die Zahl der Schläge pro Minute.

Lieber Dr. Pete,
befindet sich das Herz im Brustkorb auf der linken Seite?

Entgegen der Ansicht, daß sich das Herz auf der linken Seite des menschlichen Körpers befindet, ist es tatsächlich mehr oder weniger in der Mitte des Brustkorbs. Es ist etwa so groß wie eine geballte Faust. Die muskulöseste der vier Herzkammern liegt zur linken Seite des Körpers hin. Vielleicht kommt ja daher die Vorstellung, daß sich das ganze Herz auf der linken Seite befindet. Die Position der muskulösen Herzkammer ist wahrscheinlich der Grund, warum die meisten Mütter ihr Baby mit dem Kopf auf ihrer linken Seite halten. Auf diese Weise ist das rechte Ohr des Babys dem Herzschlag der Mutter sehr nah. Neugeborene haben neun Monate in der Wärme und Geborgenheit der Gebärmutter verbracht und dem Herzschlag ihrer Mutter gelauscht. Sie finden dieses Geräusch sehr beruhigend, nachdem sie bei der Geburt in eine fremde, kalte Welt geworfen wurden. Experimente haben gezeigt, daß sich Babys sehr schnell beruhigen und aufhören zu weinen, wenn man ihnen das Herzgeräusch vorspielt.
Natürlich sind neun von zehn Müttern Rechtshänderinnen und halten das Baby so, um die rechte Hand für andere Dinge frei zu haben. Aber die meisten linkshändigen Mütter halten ihre Babys genauso. Achte mal darauf. Es scheint sich dabei um einen Instinkt zu handeln. Das mag auch der Grund dafür sein, daß Mädchen ihre Mäntel andersherum zuknöpfen als die Jungen. Die meisten Kleidungsstücke für Mädchen werden rechts

über links zugeknöpft. Man glaubt, daß dies vor Jahrhunderten eingeführt wurde, als die Frauen lange Umhänge trugen. Sie konnten in dieser Haltung den rechten Arm und die rechte Seite des Umhangs über das Baby legen, das sie an der linken Brust hielten.

Männer knöpfen ihre Mäntel und Jacken vielleicht andersherum, weil sie vor Jahren meist ihre Waffen in der rechten Hand hielten. Mit der linken Seite des Umhangs konnte man die rechte Hand bedecken. Es gab keine Taschen, in die sie ihre Hände bei Kälte stekken konnten, und so war es möglich, die rechte Hand warm zu halten, ohne das Schwert loszulassen.

Abschließend sei noch gesagt, daß man nicht befürchten muß, das Herz zu schädigen, wenn man auf der linken Seite schläft, und daß es nicht nötig ist, Injektionen in den rechten Arm – weg vom Herzen – zu geben. Das sind Ammenmärchen.

Lieber Dr. Pete,
wie lange dauert es, bis das Blut den ganzen Körper durchflossen hat?

Mit jeder Pumpbewegung verläßt Blut das Herz. Das geschieht ungefähr 70mal in der Minute, wenn der Körper in Ruhe ist. Die Zeit, die das Blut braucht, um durch den Körper zu fließen - d. h. um zum Herzen zurückzukehren -, variiert, je nachdem, wohin das Blut unterwegs ist. Es braucht ungefähr 8 Sekunden, um zum Kopf und zurück zu gelangen. Der Weg hinunter zur großen Zehe und wieder hoch zur Brust nimmt dagegen fast eine Minute in Anspruch.
Wenn das Blut von seiner Reise zum Herzen zurückkehrt, muß es wieder mit Sauerstoff von den Lungen angereichert werden. Es dauert ungefähr sechs Sekunden, um zu den Lungen und dann zurück zum Herzen zu gelangen.
Blut fließt nicht immer gleich schnell. Am schnellsten geht die Reise, wenn es vom Herzen in die große *Aorta* genannte *Arterie* fließt. Wenn es in die winzigen Haargefäße *(Kapillaren)* kommt, schieben sich die roten Blutkörperchen im Gänsemarsch hindurch. Hier ist die Reise viel langsamer; es kann Sekunden dauern, bis eine der Kapillaren durchflossen ist, weil diese Blutgefäße dünner sind als ein menschliches Haar. Kapillaren sind z. B. für die rosa Farbe unter deinen Fingernägeln verantwortlich.
Jemand hat ausgerechnet, daß es 100 Jahre dauern würde, eine Tasse mit Blut zu füllen, wenn es aus einer der Kapillaren deines Körpers tropfte. Die Blutgefäße

sind nämlich so klein, daß zu jeder Zeit immer nur ein rotes Blutkörperchen hindurchgelangt. Ein einziger Blutstropfen enthält ca. 5 Millionen rote Blutkörperchen.
Es gibt viele Möglichkeiten, wie du die Zeit beschleunigen kannst, die dein Blut braucht, um durch den Körper zu fließen. Der einfachste Weg ist körperliche Betätigung. Damit kannst du deine Herzfrequenz verdoppeln.

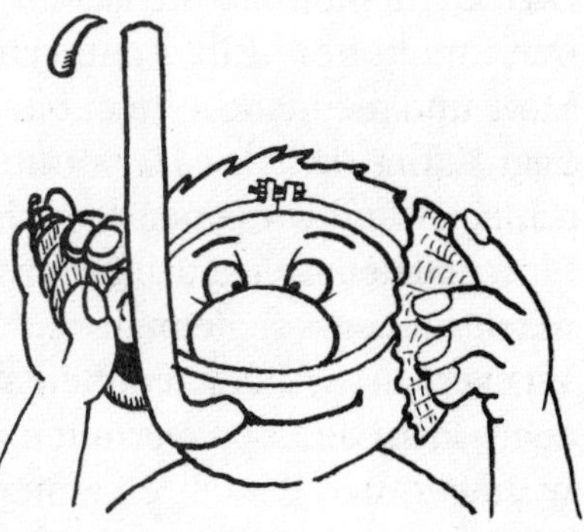

Lieber Dr. Pete,
warum kann man das Meer rauschen hören, wenn man eine Muschel ans Ohr hält?

Du hörst in einer Muschel nicht das Meer, sondern das Geräusch deines eigenen Bluts, das in deinem Kopf fließt. Ärzte nennen das „venöses Rauschen“, weil sich das Blut in deinen Venen vorwärts bewegt. Jeder muschelförmige Gegenstand kann dir als „Echokammer“ dienen und dich in die Lage versetzen, dieses Rauschen zu hören. Natürlich sperrt die Muschel auch jedes andere Geräusch von außen aus, so daß du jenen sehr leisen Ton vernehmen kannst.

Lieber Dr. Pete,
hat das Herz irgend etwas damit zu tun, wenn man sich verliebt?

Nein. Das Gehirn ist der Sitz von geistigen Belangen wie Liebe und die anderen Gefühle. Die erste Person, von der wir wissen, daß sie dies schriftlich festgehalten hat, war Alkamaeon von Crotona im Jahre 500 v. Chr. Davor glaubten die Menschen, das Herz sei die Quelle der Emotionen. Ein weiterer Grund, warum wir das Herz und die Liebe miteinander in Verbindung bringen, liegt darin, daß das Herz unter Umständen schneller schlägt, wenn wir jemanden sehen, den wir lieben. Aber hinter all dem steckt das Gehirn. Dessen Nerven sind es, die das Herz beschleunigen.
Übrigens hat Alkamaeon, ein Schüler des Pythagoras, auch falsche Ideen vertreten. Er behauptete, Ziegen würden durch die Ohren atmen.

9 Fragen und Antworten zu allerlei interessanten Dingen

Lieber Dr. Pete,
wo kommen die Tränen her, wenn man weint? Ist die Flüssigkeit irgendwann aufgebraucht, wenn man sehr viel weint? Warum schmecken Tränen salzig?

Tränen kommen aus den beiden Tränendrüsen über jedem Auge. Sie produzieren die Tränenflüssigkeit, die dann durch einen Kanal aus der Drüse auf die Oberfläche des Auges rinnt. Dann verteilt sich die Tränenflüssigkeit über das Auge und verhindert dessen Austrocknen.
Wenn du zwinkerst, wirkt dein oberes Augenlid wie ein Scheibenwischer. Es ist nicht einfach, das Blinzeln zu kontrollieren. Dabei handelt es sich um eine Reflexhandlung, die entweder von einer trockenen Augenoberfläche oder von sehr starkem Tränenfluß ausgelöst wird.
Normalerweise laufen die Tränen nicht bis zu den Wangen herunter, weil sie von den Rändern der Augenlider daran gehindert werden. Diese sind „eingefettet“ und werden von Drüsen in den Lidern, die eine ölige Substanz ausscheiden, wasserabweisend gemacht. Wenn also extrem viel Tränenflüssigkeit produziert wird, werden die Augen erst „randvoll“ mit Tränen, bevor diese schließlich über das Gesicht rinnen.
Nachdem die Tränenflüssigkeit sich über die Augenoberfläche verteilt hat, sickert sie in der Nähe der Nase am inneren Augenwinkel in den Tränenkanal, der sie in die Nase transportiert.
Die Tränendrüsen über den Augen sind mit einem sehr komplexen Nervensystem verbunden. Gefühle stimulie-

ren diese Nerven und sorgen dafür, daß sie mehr Tränenflüssigkeit produzieren. Dann werden die Augen schnell sehr feucht – allgemein als Weinen bekannt! Diese Gefühle schließen Glück ebenso mit ein wie Traurigkeit. Menschen weinen vor Freude. Der Körper registriert lediglich die Stärke der Gefühlsregung.
Ja, die Menge an Tränenflüssigkeit, die die Drüsen bei einem Ausbruch produzieren können, ist begrenzt, und nach einer Weile werden die Tränen „austrocknen" – obwohl immer noch genug da ist, um die Augen vor dem Austrocknen zu bewahren.
Tränen schmecken salzig, weil Salz in ihnen enthalten ist. Die Tränenflüssigkeit hat eine sehr komplizierte Zusammensetzung. Sie ist dem *Plasma*, dem wäßrigen Bestandteil des Bluts ohne die roten Blutkörperchen, nicht unähnlich. Sie enthält einen Stoff *(Lysozym)*, der Bakterien abtötet und damit hilft, das Auge vor Entzündungen zu schützen.
Ein Tip: Wenn dir ein Staubkorn ins Auge gerät, reibe das andere Auge. Auf diese Weise tränen beide Augen und waschen den Staub heraus. Wenn du das Auge mit dem Staubkorn reibst, ist die Wahrscheinlichkeit groß, daß du den Schmutz noch tiefer ins Auge hineinreibst und das Problem damit schlimmer machst.

Lieber Dr. Pete,
meine Schwester und ich sind eineiige Zwillinge. Wir sehen genau gleich aus, und die Lehrer können uns nicht unterscheiden. Wäre ein Bluthund in der Lage, einen Unterschied zwischen uns zu riechen?

Die kurze Antwort lautet: nein. Viele Leute werden darüber überrascht sein, da der menschliche Körpergeruch sich aus so vielen unterschiedlichen und komplizierten Bestandteilen zusammensetzt. Trotzdem hat die Forschung gezeigt, daß bei eineiigen Zwillingen sogar der Geruch so gleich ist, daß Bluthunde sie nicht auseinanderhalten können.
Der Bluthund ist der „Schnüffler-Champion" unter den Hunden. Der Bereich, der innerhalb der menschlichen Nase Gerüche registriert, ist ungefähr 5 Quadratzentimeter groß. Beim Schäferhund ist dieser Bereich 23mal so groß, obwohl das Tier kleiner ist als der Mensch. Wenn der Bluthund ein Meister im Aufspüren von Gerüchen ist, ist die männliche Königsmotte darin ein absoluter Weltmeister. Das Männchen kann eine neue Freundin aus einer Entfernung von 11 Kilometer riechen, wenn die Windrichtung stimmt!

Lieber Dr. Pete,
warum haben Männer Brustwarzen? Ich habe sogar drei davon.

Die Körper von Mädchen und Jungen sind sich eigentlich recht ähnlich. Die größeren Veränderungen prägen sich erst aus, wenn du ein Teenager wirst. Trotzdem ist die Grundstruktur der Körper, an denen sich die Hormone derart zu schaffen machen, die gleiche. Die Eierstöcke der Frau haben ihr Gegenstück in den Hoden des Mannes. Sogar der Penis eines Jungen hat bei den Mädchen seinen Gegenpart - die Klitoris.
Bei Frauen haben die Brüste eine Funktion. Sie produzieren die Milch, mit der das Baby gefüttert wird. Bei Männern ist das nicht notwendig, weshalb sich bei ihnen die Brüste - die eigentlich nur abgewandelte Schweißdrüsen sind - nicht entwickeln. Trotzdem bemerken nicht weniger als 50 % der Jungen eine leichte Schwellung einer oder beider Brüste, wenn ihre Hormone während der Pubertät in Aktion treten. Wenn du dich fragst, ob das bei dir auch der Fall ist, kannst du das leicht von deinem Arzt untersuchen lassen.
Viele Leute - Jungen und Mädchen - haben eine zusätzliche Brustwarze. Diese stellen einen Rückfall in ein früheres Stadium der Evolution des menschlichen Körpers dar. Viele Tiere haben mehr als zwei Brustwarzen. Katzen und Hunde brauchen sie beispielsweise, weil sie mehr als ein Junges ernähren müssen.
Wir haben noch mehr rudimentäre Körperteile. Das bedeutet, daß sie Überbleibsel aus früheren Zeiten sind, die wir heute nicht mehr zum Leben brauchen. Eines

davon ist der Blinddarm. Bei Grasfressern ist dieser Teil des Darmtrakts viel länger und zum Zersetzen der Nahrung notwendig.
Obwohl es heutzutage keine Probleme bereitet, wenn man eine zusätzliche Brustwarze hat, war das nicht immer so. Im Mittelalter verdächtigte man Frauen mit einer überzähligen Brustwarze, Hexen zu sein, die damit den Teufel säugen würden!

Lieber Dr. Pete,
wie gut sind Medizinmänner?

In vielen Gegenden der Welt gibt es keine medizinische Versorgung, wie du sie kennst. Es gibt dort keine Ärzte, die auf der Universität waren, keine modernen Arzneimittel und keine Krankenhäuser, die mit medizinischen Geräten ausgestattet sind. Dort übernimmt oft jemand die Rolle des Heilers oder Medizinmannes. Er – normalerweise handelt es sich dabei um einen Mann – verfügt über genaue Kenntnisse auf dem Gebiet der Heilkräuter. Tatsächlich wirken die oft sehr gut. Der Medizinmann ist meist eine weise und erfahrene Persönlichkeit, die von den Einheimischen mit großem Respekt behandelt wird. Sie vertrauen seinen Ratschlägen. Dieses Vertrauen des Patienten hat eine sehr große Heilkraft. Wenn du glaubst, daß dir jemand bei deinem Leiden helfen kann, dann ist das für dich vielleicht schon der halbe Weg zur Besserung.
Der Medizinmann kann aber auch noch andere Aufgaben haben. Manchmal übt er das Priesteramt aus oder

ist an Ritualen beteiligt, die für eine gute Ernte und viel Regen sorgen sollen, wenn gerade eine Dürreperiode herrscht.
Wenn ihm jemand nicht gehorcht, kann er diese Person mit einem Fluch belegen. Diese Beeinflussung kann so stark sein, daß die verfluchte Person sogar sterben kann, wenn sie an den Fluch glaubt.
Wie alle Medizinmänner, haben auch diese Leute nicht auf alle Fragen eine Antwort. Zu mir kam einmal ein Medizinmann, als er hörte, daß ich im nahen Dschungel unterwegs war. Seine eigenen Heilmittel hatten ihm bei seiner schweren Infektion im Brustbereich nicht geholfen. Mit einer Penicillintherapie gelang es mir, ihn zu heilen. Wir respektierten uns von da an gegenseitig und wurden recht gute Freunde. Ich habe sehr viel von ihm gelernt.

Lieber Dr. Pete,
mein Großvater hat zwei künstliche Hüften. Kann er durch die Sicherheitskontrolle am Flughafen gehen oder wird er dort den Alarm der Metalldetektoren auslösen?

Dein Großvater wird bei der Sicherheitskontrolle höchstwahrscheinlich die Metalldetektoren auslösen. Sie sollen ja die Leute herausfinden, die Waffen (Metall) tragen. Ich habe mit dem Grenzschutz gesprochen und sie sagten, daß ein solcher „blinder Alarm" recht häufig ist. Dein Großvater muß den Beamten nur sagen, daß er ein künstliches Hüftgelenk hat. Dann wird er nicht als Verbrecher verhaftet. Der Beamte wird den Körper deines Großvaters nur mit der flachen Hand nach Waffen abtasten.
Die Grenzschutzbeamten erzählten mir, daß es wegen der Grenzkontrollen oft unnötige Bedenken gibt. Diabetiker, die Insulin benötigen, fürchten oft, für Drogenabhängige gehalten zu werden, weil sie eine Spritze bei sich tragen. Dabei müssen sie es den Zollbeamten nur erklären.
Vor ein paar Monaten flog ich aus Nepal nach London zurück und ging bei „Nichts zu verzollen" durch, wurde jedoch angehalten und durchsucht. Sie fanden bei mir einen Plastikbehälter mit gebrauchten und blutigen Spritzen sowie etwas Morphium. Unglücklichere Umstände kann man sich kaum vorstellen, und ich dachte schon, jetzt wäre ich dran.
Ich erklärte jedoch, daß ich Arzt wäre und die Drogen auf einer Expedition gebraucht hätte. Ich sagte, daß ich

die gebrauchten Nadeln usw. mit nach Hause brächte, weil es in den Dörfern, durch die ich gekommen war, keine sichere Möglichkeit zur Entsorgung gegeben hätte. Sie glaubten mir, und ich durfte gehen.

Lieber Dr. Pete,
woher weiß eine Schmerztablette, in welchem Teil des Körpers sie wirken soll?

Die Schmerztablette weiß nicht, in welchem Teil des Körpers sie wirken soll. Wenn man eine Schmerztablette schluckt, gelangen die Wirkstoffe ins Blut und werden damit über den ganzen Körper verteilt. Die Wirkstoffe der Schmerztablette behandeln die Entzündungen, die dir die Schmerzen bereiten, immer dort, wo sie ihnen im Körper begegnen. So kommt es, daß du für Kopf-, Zahn- und Ohrenschmerzen dieselbe Schmerztablette nehmen kannst.

Lieber Dr. Pete,
was ist die eigenartigste Behandlungsmethode, die Sie kennen?

Die Kanonenkugel-Behandlung. Darüber habe ich in einer der führenden amerikanischen medizinischen Fachzeitschriften vom 1. August 1896 gelesen. Eine 3 bis 4 Pfund schwere Kanonenkugel wurde zur Behandlung von Verstopfung empfohlen. Der Patient lag auf dem Rücken, und der Autor wies darauf hin, daß der Einsatz der schweren Eisenkugel „sorgfältig und systematisch" erfolgen müsse.
Der Leidende mußte die Kugel morgens und abends 5 bis 10 Minuten über seinen Bauch rollen lassen. Die „Behandlung" endete damit, daß die Kugel einige Minuten auf dem Nabel balanciert wurde.
Ich habe einen berühmten Darmspezialisten gefragt, ob dies irgend etwas Gutes – oder Schlechtes! – bewirkt hätte. Er meinte, es könnte so funktioniert haben, daß das Gewicht der Kugel den harten Darminhalt zerkleinert und die Darmmuskulatur dazu angeregt hat, die Essensreste in den Mastdarm und anschließend aus dem Körper hinaus in die Toilette zu befördern.
Ich habe es einmal mit einer 3 Pfund schweren Piraten-Kanonenkugel aus dem Indischen Ozean ausprobiert. Es schien zu wirken. Am nächsten Tag hatte meine Patientin Durchfall. Aber ich bin nicht sicher, ob die Kanonenkugel dafür verantwortlich war.

Lieber Dr. Pete,
es gibt den Ausdruck „Lebendgewicht". Ist der menschliche Körper nach dem Tod schwerer als zu Lebzeiten?

Nein. Das Gewicht bleibt gleich. Nach dem Tod – oder bei Bewußtlosigkeit – ist der Körper entspannt, und das macht es schwieriger, ihn zu handhaben, weil alles schlaff ist. Im lebenden Zustand sind die Muskeln natürlich gespannt, und das vereinfacht es, den Körper zu handhaben und läßt ihn unter Umständen leichter erscheinen.
Vor Hunderten von Jahren wurden einige Experimente durchgeführt, die das Gewicht der menschlichen Seele herausfinden sollten.
Der Körper wurde unmittelbar vor dem Tod (das muß ziemlich aufregend gewesen sein!) und unmittelbar danach gewogen.
Das von der Waage angezeigte Gewicht war in beiden Fällen gleich.

Lieber Dr. Pete,
warum werden meine Finger runzlig, wenn ich lange bade?

Deine Haut wird wegen des Keratins in der äußeren Hautschicht *(Epidermis)* runzlig. Diese Proteinsubstanz schwillt an, wenn sie Wasser aufnimmt, und da die Epidermis an der Schicht darunter befestigt ist, bewirkt dies, daß die Haut sich in Falten und Runzeln legt. Du bemerkst das an deinen Händen und Füßen, weil dort die äußere Hautschicht am dicksten ist – Hände und Füße sind Stellen des Körpers, die durch die dickere Haut vor Abnutzung und Verletzungen geschützt werden.